CABALA PRÁTICA
SEM MISTÉRIOS

Maggy Whitehouse

CABALA PRÁTICA
SEM MISTÉRIOS

Tradução:
CINTIA DE PAULA FERNANDES BRAGA

Editora
Pensamento
SÃO PAULO

Título original: *Kabbalah Made Easy*.
Copyright © 2010 Maggy Whitehouse.
Publicado originalmente em UK por John Hunt Publishing Ltd.
Publicado mediante acordo com a John Hunt Publishing Ltd.
Copyright da edição brasileira © 2010 Editora Pensamento-Cultrix Ltda.

1ª edição 2013.

6ª reimpressão 2024.

Todos os direitos reservados. Nenhuma parte deste livro pode ser reproduzida ou usada de qualquer forma ou por qualquer meio, eletrônico ou mecânico, inclusive fotocópias, gravações ou sistema de armazenamento em banco de dados, sem permissão por escrito, exceto nos casos de trechos curtos citados em resenhas críticas ou artigos de revista.

A Editora Pensamento não se responsabiliza por eventuais mudanças ocorridas nos endereços convencionais ou eletrônicos citados neste livro.

Ilustrações de Peter Dickinson.

Editor: Adilson Silva Ramachandra
Editora de texto: Denise de C. Rocha Delela
Coordenação editorial: Roseli de S. Ferraz
Produção editorial: Indiara Faria Kayo
Assistente de produção editorial: Estela A. Minas
Editoração Eletrônica: Join Bureau
Revisão: Yociko Oikawa

CIP-Brasil Catalogação na Publicação
Sindicado Nacional dos Editores de Livro, RJ

W587c
 Whitehouse, Maggy
  Cabala prática sem mistérios / Maggy Whitehouse; tradução: Cintia de Paula Fernandes Braga. – 1. ed. – São Paulo: Pensamento, 2013.
  104 p.: il.; 21 cm.

 Tradução de: Kabbalah Made Easy
 ISBN 978-85-315-1839-3

 1. Cabala I. Título.

13-02124 CDD-296.16
 CDU: 296.65

Direitos de tradução para a língua portuguesa adquiridos com exclusividade pela
EDITORA PENSAMENTO-CULTRIX LTDA., que se reserva a
propriedade literária desta tradução.
Rua Dr. Mário Vicente, 368 – 04270-000 – São Paulo – SP
Fone: (11) 2066-9000
http://www.editorapensamento.com.br
E-mail: atendimento@editorapensamento.com.br
Foi feito o depósito legal.

SUMÁRIO

Agradecimentos	7
Introdução	9
Capítulo 1 O que é a Cabala?	13
Capítulo 2 A teoria do fio vermelho	15
Capítulo 3 O jogo dos números	17
Capítulo 4 A tradição oral	21
Capítulo 5 O sistema luriânico da Cabala	25
Capítulo 6 A origem da Árvore da Vida	29
Capítulo 7 Diferentes tipos de Cabala	35
Capítulo 8 A Cabala e a Bíblia	39
Capítulo 9 A Cabala na história	43
Capítulo 10 Como interpretar a Árvore da Vida	47
Capítulo 11 As Sephiroth	49
Capítulo 12 As Sephiroth e a astrologia	55
Capítulo 13 A Escada de Jacó	59
Atziluth	62
Briah	64
Yetzirah	64
Assiah	66
A Quinta Árvore	68
Capítulo 14 Anjos e arcanjos	69

Capítulo 15 Exercícios e rituais... 77
    Fazendo do seu corpo a Árvore da Vida............ 77
    Desenhando sua própria Árvore da Vida........... 79
    Criando um ambiente de cura cabalística
        ou espaço de trabalho.................................... 81
    Entoando o Nome Sagrado............................... 82
    Meditação contemplativa cabalística................ 85
    A celebração de um ritual simples.................... 95

Conclusão 99
Bibliografia 101
Leituras recomendadas... 103

AGRADECIMENTOS

Ao trabalho e inspiração de Z'ev ben Shimon Halevi, sem o qual eu nunca teria continuado a estudar e muito menos a entender a Cabala.

Aos membros dos grupos de estudo de Halevi em Londres, de 1993 a 2009 – tantos que eu não poderia citar nomes – cujos pensamentos, jornadas e ensinamentos formaram uma parte integral do meu trabalho.

Aos membros dos grupos de estudos cabalísticos frequentados por meu marido e por mim que me inspiraram a aprender cada vez mais.

INTRODUÇÃO

Quando eu comecei a estudar a Cabala, minha mãe ficou tão preocupada que foi pedir a opinião do vigário sobre o assunto. Depois de consultar o dicionário, ele lhe informou que aparentemente eu estaria envolvida em algum culto satânico ou bruxaria.

O padre – um homem amoroso que me amparou no leito de morte do meu primeiro marido – refletia a visão de muitos sobre essa antiga tradição judaica de conhecimento espiritual. Durante séculos, a Cabala tem sido frequentemente usurpada, humilhada e deturpada, além de usada para prática de magias estranhas e às vezes repugnantes. No entanto, é uma ferramenta, como a eletricidade: pode ser aproveitada para qualquer fim desejado e precisa ser utilizada com cuidado. Seu intuito é guiar e instruir o aprendiz espiritual, e, no meu caso, foi o roteiro necessário para que eu me sentisse finalmente em paz em relação a um cristianismo que havia condenado meu jovem marido ao inferno por ser ateu.

A Cabala é considerada uma ciência principalmente judaica e tem sido mantida no âmbito do judaísmo durante séculos. Ainda existe oposição à ideia de que não judeus e mulheres a estudem, mas, como já foi dito, a Cabala não é uma religião. É uma ferramenta que pode se encaixar ou não na mão do estudante.

Em 2007, eu finalmente me senti em paz em relação à religião em que fui criada e fui ordenada em uma igreja sacramental independente por um bispo que era ao mesmo tempo um místico e um cabalista. Mas foi a luz judaica contida na Cabala que me guiou durante os anos em que continuei buscando, caindo e chorando na solidão até encontrar meu próprio caminho para entender o Sagrado e a mim mesma. Ainda hoje, se eu fosse forçada a escolher apenas uma fé a seguir, seria o misticismo judaico. Jesus foi um místico judeu, e o que foi suficientemente bom para ele é bom para mim também.

Eu poderia ter aprendido tudo o que sei sobre Cabala em apenas um livro como esse? De jeito nenhum. Mas esse tipo de livro poderia ter me ajudado nos anos em que eu estava tentando descobrir o que realmente é a Cabala e o que ser mulher e não judia às vezes significava ser percebida como uma estranha, uma intrusa, um peixe fora d'água e até mesmo uma ameaça. Seria bom ter lido um simples guia para iniciantes que dissesse: "Preste bem atenção, trata-se apenas de um sistema. Sim, funciona de verdade, e, sim, você pode estudá-lo, qualquer que seja sua fé. Mas não é um sistema indispensável de aprendizado. É apenas uma maneira válida e útil de mostrar que você é um reflexo de Deus".

A Cabala como um todo se resume na tradução do grande e sagrado nome de Deus: "Eu sou o que sou" (Êxodo 3,14). Deus e o Universo devolverão a mim o que eu mandar a eles.

A Cabala é uma estrutura. *Nós* somos a forma que essa estrutura adotará no século XXI. Somos a capa colorida, a "capa de pele" que interpretará a Cabala para as futuras gerações.

Com a graça do Sagrado, faremos um bom trabalho e ajudaremos outras pessoas a encontrarem suas próprias rotas individuais em direção à Fonte de Tudo. E esperamos que, fazendo isso, possamos honrar a tradição judaica que tem protegido a Cabala por tantos séculos para que hoje possamos compreender suas dádivas.

CAPÍTULO I

O QUE É A CABALA?

Cabala é uma palavra de origem hebraica que significa "receber". Se você entrar em um hotel em Israel, poderá ver a palavra "Cabala" indicando a recepção. Essa é uma ironia adorável, porque muitos tentaram durante séculos transformar a Cabala em algo complexo, secreto e proibido, quando ela foi criada originalmente para ser um mapa nos mostrando o caminho a seguir na vida.

Essa tradição mística ancestral tem base em uma estrutura chamada Árvore da Vida. A maioria das pessoas relaciona a Cabala ao judaísmo, mas esse diagrama é uma matriz que pode nos ajudar a entender a relação entre Deus, o Universo e a humanidade, seja qual for nossa religião ou sistema de crenças.

O único requisito necessário para estudar a Cabala é crer em um Poder Superior.

A Cabala é conhecida como a tradição oculta do Ocidente devido aos ensinamentos esotéricos por trás das três religiões abraâmicas: judaísmo, cristianismo e islamismo. Muitos dos ensinamentos cabalísticos podem ser encontrados no Antigo e no Novo Testamento da Bíblia e no Talmude, obra de comentários judeus sobre a Torá. Uma vez entendida, a Cabala pode ser usada para esclarecer esses ensinamentos aparentemente obscuros.

Entretanto, a Cabala não é uma religião, mas uma ferramenta para nos ajudar em nosso caminho de realização pessoal e desenvolvimento espiritual, independentemente de escolhermos usar a Bíblia ou não.

As práticas espirituais cabalísticas incluem, no mundo inteiro:

- A contemplação e a entoação dos nomes de Deus em hebraico.
- A representação da Árvore da Vida como uma mandala.
- A meditação contemplativa para descobrir e curar aspectos de nossa psique interior.
- A teurgia (magia sagrada) dos anjos.
- A astrologia.
- A compreensão dos níveis do ego, do ser, da alma e do espírito.
- O estudo de textos bíblicos em busca de padrões relacionados à Árvore da Vida.
- A interpretação da vida e da história por meio da Árvore da Vida, observando tanto nossos padrões individuais como o desenvolvimento da humanidade.
- O debate, levando a um maior entendimento e crescimento espiritual.

CAPÍTULO 2

A TEORIA DO FIO VERMELHO

Um dos objetos mais comumente associados à Cabala é um fio de lã vermelha usado no pulso para evitar o mau--olhado. Essa não é uma tradição estritamente cabalística, mas se estende por todo o mundo oriental. A pulseira de lã vermelha é uma característica particular do Kabbalah Center, mas é também frequentemente confundida com o fio vermelho do budismo, abençoado por um lama ou por um mestre e oferecido a um estudante ou visitante de algum santuário. O Dalai Lama também abençoa fios e fitas vermelhos para ofertar a seu público e seus seguidores.

Acredita-se que a pulseira de lã vermelha é sagrada para os cabalistas quando tiver sido enrolada sete vezes em torno da sepultura de Raquel, uma das matriarcas da Bíblia. Entretanto, apesar de Raquel conhecer a magia, ainda assim morreu de parto, e por isso muitos estudantes modernos da Cabala consideram o fio vermelho uma superstição ou um amuleto, e não uma prática sagrada.

Esse é um bom exemplo de como as tradições se atualizam. A "teoria do fio vermelho" é popular, mas não possui ligação alguma com a Árvore da Vida ou com as antigas escrituras e ensinamentos. O preço elevado da lã cabalística se explica pela dificuldade em se encontrar exemplares genuínos que tenham sido levados por judeus ao território palestino, onde se localiza a sepultura de Raquel. Por outro lado, o fio budista é abençoado por um mestre vivo e distribuído gratuitamente.

CAPÍTULO 3

O JOGO DOS NÚMEROS

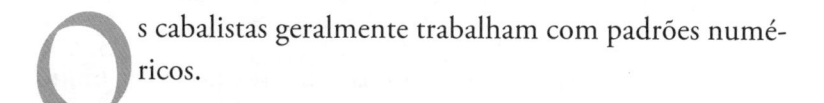

Os cabalistas geralmente trabalham com padrões numéricos.

◆ Dez se refere aos dez círculos ou *Sephiroth* da Árvore da Vida que representam dez aspectos diferentes de Deus e de nós mesmos e os Dez Mandamentos.

◆ Quatro representa os quatros níveis de existência. A Árvore se repete nos quatro níveis que correspondem aos quatro elementos primários: terra, água, ar e fogo. Dez vezes o quatro representa um ciclo completo de vida – a extensão de tempo para se completar um projeto ou para a passagem de uma geração (temos os 40 anos do povo hebreu e os 40 dias de Jesus no deserto). O número quatro também representa os quatro naipes do Tarô.

◆ Doze também é sagrado, representando as dez Sephiroth unidas à não-Sephira Daath – sobre a qual falaremos mais tarde – e ao observador (você). Doze eram também as tribos de Israel e são doze os signos do zodíaco.

- Três se refere às três Sephiroth principais, que são conhecidas como a Tríade Superior e que representam os primeiros atributos de Deus. Daí surge a primeira ideia de Trindade e o conceito dos aspectos masculino e feminino do Deus Uno.

- Sete representa as sete Sephiroth inferiores e também o conceito de quatro mais três (quatro mundos ou níveis, três aspectos do Divino). O Apocalipse fala de sete igrejas, sete selos, sete espíritos, sete trombetas etc.

- Vinte e dois é o número de letras do alfabeto hebraico, o número de caminhos entre as Sephiroth na Árvore da Vida e o número das cartas dos Arcanos Maiores no Tarô.

Usado com moderação, o jogo dos números pode ser muito útil. O livro bíblico de Ester, por exemplo, possui dez capítulos e descreve o crescimento da alma da protagonista de acordo com os atributos das dez Sephiroth. Entretanto, a interpretação dos números pode se estender e se tornar muito complicada. Muitos cabalistas se perdem nos simbolismos numéricos e se esquecem de que o sistema deve desenvolver a alma e não a matemática avançada.

A *Gematria*, é um sistema matemático que atribui um valor numérico a cada uma das 22 letras do alfabeto judaico e procura analisar palavras e frases da Bíblia procurando padrões e significados. Um dos mais conhecidos exemplos de Gematria é o valor numérico encontrado nos nomes de Deus. Ironicamente para um sistema que tem suas raízes no judaísmo, a primeira grande religião monoteísta, ele apresenta dezenas de nomes de

Deus além dos dez aspectos da Divindade representados pelas Sephiroth.

Os mais conhecidos desses são os 72 nomes de Deus, que na verdade se referem a um nome de 72 sílabas, uma sequência de letras do livro de Êxodo. Este, por sua vez, é parte de um nome de 216 letras. Se você quiser passar a vida toda no mundo da Gematria, pode também se ocupar com o nome de Deus que se revela quando citadas todas as letras da Torá numa ordem específica, e que é composto por 304.805 letras.

Nota: Os *Códigos da Bíblia* ou *Códigos da Torá* interpretam a Bíblia por meio do número de espaços entre as letras em vez de usar o valor numérico do próprio alfabeto. Você também pode se confundir com isso se não tomar cuidado.

Atualmente, muitos cabalistas se concentram na contemplação das letras hebraicas que compõem os vários nomes dos aspectos de Deus. Acredita-se que não é necessário entender as letras ou palavras hebraicas para utilizá-las como uma poderosa ferramenta na meditação.

CAPÍTULO 4

A TRADIÇÃO ORAL

A Cabala é uma tradição oral transmitida e atualizada de geração em geração. Ela não tem sofrido distorções ao longo do tempo graças à estrutura única da Árvore da Vida (ver figura, p. 23) que utiliza uma matriz de atributos divinos e humanos, conhecida como *Sephiroth* ("círculos" em hebraico).

A Árvore da Vida é como o esqueleto de um mamífero. Os ossos são exatamente os mesmos para cada corpo, mas a postura e a aparência externa de cada ser são únicas, ainda que as diferenças entre eles sejam muito sutis. Então, qualquer que seja essa aparência externa, um cabalista poderá sempre recorrer à estrutura do ensinamento. É mais uma linguagem que vem do coração do que um sistema exterior.

Este livro é sobre a interpretação atual dessa estrutura básica e atemporal. Ela poderá ser adequada por até 20 ou talvez 30 anos, mas a próxima geração sempre poderá acrescentar novas percepções a ela.

O diagrama da Árvore representa um ser humano perfeito – a imagem de Deus. Entretanto, é também a representação da estrutura de cada indivíduo. A meta de cada um é estar equilibrado na *Sephira* do meio, que é denominada Tiphareth. Ali estamos centrados; em sintonia com nossos aspectos ativos e receptivos (os pilares da direita e da esquerda), conectados com a Fonte (acima) e no comando do nosso ego e do nosso corpo físico abaixo.

Tiphareth é a palavra hebraica para "verdade" e "beleza". Esses dois nomes funcionam maravilhosamente bem juntos porque a verdade nua e crua pode ser áspera e feia, e a beleza por si só pode ser corruptível. Mas uma grande verdade sempre possui beleza, mesmo que seja uma beleza feroz, divina.

Além de ser a imagem do ser humano perfeito, a Árvore da Vida é o diagrama que representa a forma como o Universo funciona e que pode ser útil tanto para o religioso ortodoxo quanto para o estudante da Bíblia ou o buscador espiritual moderno. Você pode ser ao mesmo tempo cabalista e judeu, cristão, muçulmano, pagão, hindu ou adepto à crença que preferir.

Assim como as pausas entre as notas musicais formam uma melodia, a Cabala é o espaço entre as palavras do Velho e do Novo Testamentos da Bíblia. Portanto, é uma ferramenta maravilhosa para fazer a ponte entre crenças convencionais, da Nova Era e espiritualistas.

Desde a invenção da imprensa, os ensinamentos cabalistas têm se tornado cada vez mais complicados e frequentemente cristalizados em conceitos antigos que podem estar desatualizados. No entanto, eles devem constituir um sistema simples,

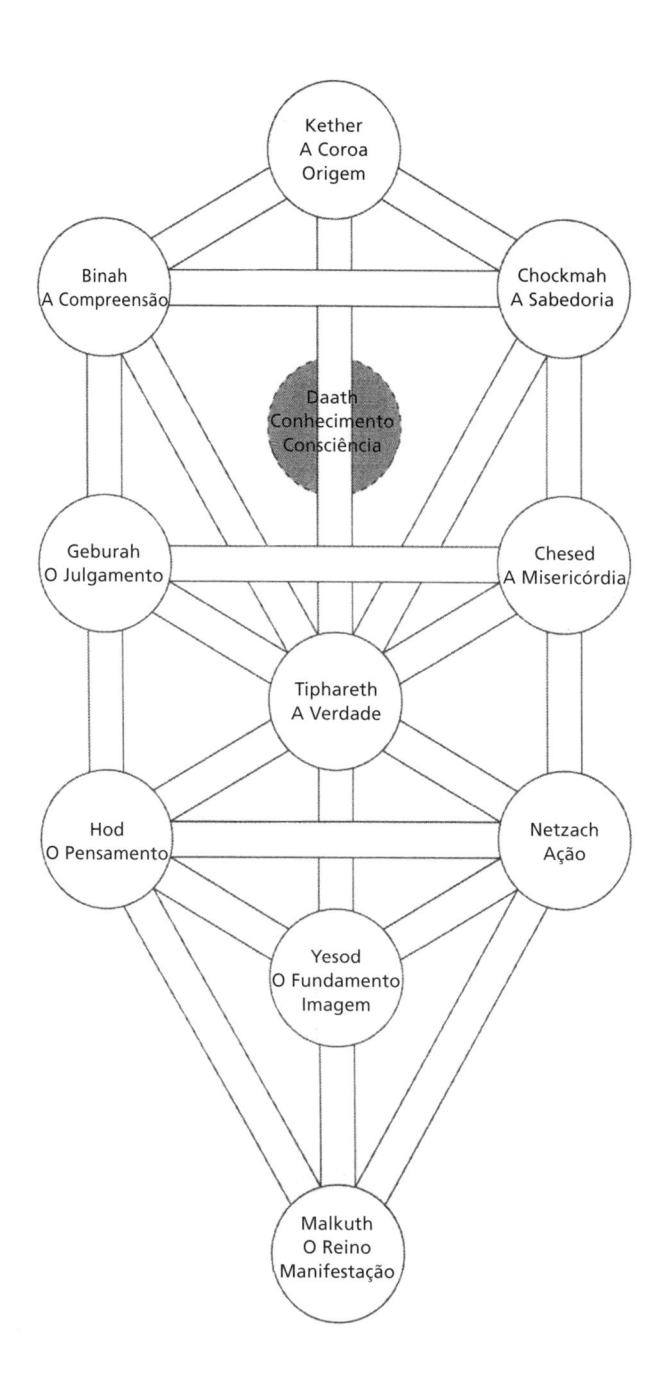

```
           Kether
           A Coroa
           Origem

  Binah                  Chockmah
A Compreensão           A Sabedoria

              Daath
           Conhecimento
            Consciência

 Geburah                  Chesed
O Julgamento           A Misericórdia

            Tiphareth
            A Verdade

   Hod                    Netzach
O Pensamento               Ação

             Yesod
          O Fundamento
             Imagem

             Malkuth
             O Reino
           Manifestação
```

fundamentado na observação dos padrões presentes no Universo – os princípios de como tudo funciona – e não importa quantos livros sejam escritos sobre a Cabala, seus ensinamentos ainda serão mais bem apreendidos por meio de perguntas e respostas, de modo que ela floresça em grupos onde o debate é encorajado.

Durante milhares de anos a Cabala foi principalmente judaica. O judaísmo foi a primeira fé a crer em um Deus único, e a nação judaica manteve o ensinamento sagrado da Cabala perto do coração, enquanto seus místicos o usaram como estrutura para fundamentar sua religião.

A Cabala "se tornou pública" com o avanço da imprensa moderna, mas apenas quando já tinha sido completamente revisitada, devido à perseguição aos judeus na Inquisição. O que surgiu – e foi a primeira peça impressa – foi uma versão do século XVI dos ensinamentos originais, que foi usada por cristãos, alquimistas e iniciados em magia.

CAPÍTULO 5

O SISTEMA LURIÂNICO DE CABALA

A versão da Cabala fundada pelo místico Isaac Luria e conhecida como "Cabala Luriânica" é inacreditavelmente complicada, tanto que muitos interessados na Cabala se deparam com tamanha dificuldade que desistem do assunto como um todo. Ironicamente, o próprio Isaac Luria havia proibido seus seguidores de colocarem seus ensinamentos na forma escrita. No entanto, seguindo a natureza humana, eles desobedeceram.

Já que este livro se chama *Cabala Prática sem Mistérios* e a Cabala luriânica é muito complexa, nosso foco será a versão cabalista mais simples e mais próxima do ensinamento original.

Existe uma segunda razão para não usarmos o sistema fundado por Luria neste livro. Até então a Cabala acreditava que o mundo havia sido criado perfeito (como diz a Bíblia "Viu Deus tudo quanto fizera, e eis que era muito bom" – Gênesis 1,31). A origem do mal seria consequência do mau uso do livre-

-arbítrio humano. Um terremoto ou desastre natural não era visto como mal, mas como um infortúnio. A reação humana a esses eventos era o único critério para definir "bem" e o "mal". Acreditava-se que nossas escolhas determinavam a nossa qualidade de vida.

A Cabala luriânica surgiu após a Inquisição do século XV, quando milhares de judeus que sobreviveram ao horror dos *autos de fé* foram expulsos da Espanha e de Portugal. Eles não conseguiam entender como uma coisa tão terrível podia ter acontecido e como um Deus bondoso teria permitido que seu povo escolhido passasse por tamanho sofrimento.

Luria revelava que, quando Deus criou o mundo, um erro foi cometido e levou à quebra das Sephiroth ou vasos que transmitiam a Luz da Criação. Os cacos desses vasos estilhaçados (conhecidos como *klippoth*) tornaram-se uma forma exterior de mal que ataca o bem. Isso respondia à incessante questão de "por que coisas ruins acontecem com pessoas boas?". Esse é um conceito muito parecido com o do diabo retratado no cristianismo. Teve seu auge na Idade Média e fortaleceu a sintonia entre os místicos cristãos e o novo sistema luriânico.

Antes dessa revelação, a Cabala acreditava que a criação havia sido perfeita e que a fonte de todos os males era o mau uso do livre-arbítrio. Com o interesse moderno na Lei da Atração, o conceito de responsabilidade e conscientização dos efeitos das emoções em nossa vida ressurgiu juntamente com o ensinamento anterior da Cabala.

No século XXI, a versão mais conhecida dos antigos ensinamentos é chamada de Tradição Toledana, em homenagem à Era Dourada da Espanha na Idade Média. Foi nessa época que filósofos e sábios do judaísmo, islamismo e cristianismo trabalharam juntos em cidades como Toledo, Granada, Málaga e Córdoba.

Nenhum dos dois sistemas é certo ou errado; trata-se simplesmente de uma questão de preferência e percepção pessoal. Ambos sugerem que o desenvolvimento pessoal e espiritual é o caminho para toda a humanidade, sendo o foco do sistema Luriânico a cura de um mal exterior que adentrou nosso universo, e o do sistema Toledano a conquista de nosso equilíbrio interior, que nos habilitará a atuar de forma positiva no mundo.

Este livro não sugere de forma alguma que a nação judaica tenha criado ou merecido os crimes hediondos sofridos na Inquisição. Entretanto, ele reconhece que quando surge uma situação difícil, ela se agravará cada vez mais se for abastecida com emoções negativas – a não ser que boas pessoas façam algo para mudá-la.

CAPÍTULO 6

A ORIGEM DA ÁRVORE DA VIDA

O diagrama da Árvore da Vida se fundamenta no candelabro de sete velas conhecido como a Menorah do livro de Êxodo (ver figura, p. 30). A Menorah foi feita a partir de uma peça de ouro fundido que fazia parte dos tesouros trazidos do Egito pelos israelitas. Ela foi construída seguindo o projeto descrito detalhadamente em Êxodo e colocada no tabernáculo do templo itinerante construído por Moisés e pelos hebreus no deserto. Durante séculos, os místicos têm se referido a ela como a origem da Torá oral (Lei); os primeiros cinco livros da Bíblia, com sua representação e marcações, representam as Sephiroth, os caminhos e os quatro diferentes mundos ou níveis existentes nos ensinamentos cabalísticos.

As primeiras publicações referentes à conexão entre a Menorah e a Árvore da Vida foram difundidas nos primórdios da Igreja Cristã por Santo Irineu, e mais tarde, no século XVIII, pelo Rabino místico Moshe Chaim Luzzato. O conceito foi mais amplamente desenvolvido nos séculos XX e XXI pelo pai contemporâneo da Cabala Toledana, Z'ev ben Shimon Halevi.

Acredita-se que a representação da Árvore da Vida que adotamos atualmente é uma adaptação da Menorah representada pelo Rabino Yizhak Saggi Nehor (1160-1235), conhecido como Isaac o Cego. O Rabino ou seus seguidores também foram conhecidos como os responsáveis pelo esclarecimento dos estudos cabalísticos sobre reencarnação, karma e pela nomenclatura das Sephiroth.

O Rabino Isaac pregava que a contemplação dos aspectos das Sephiroth com intenção sagrada, conhecida como *kavanah*, pode estabelecer um contato direto das pessoas com a divindade.

A Árvore da Vida possui três pilares verticais (ver figura, abaixo) e três linhas horizontais. Os pilares representam o seguinte:

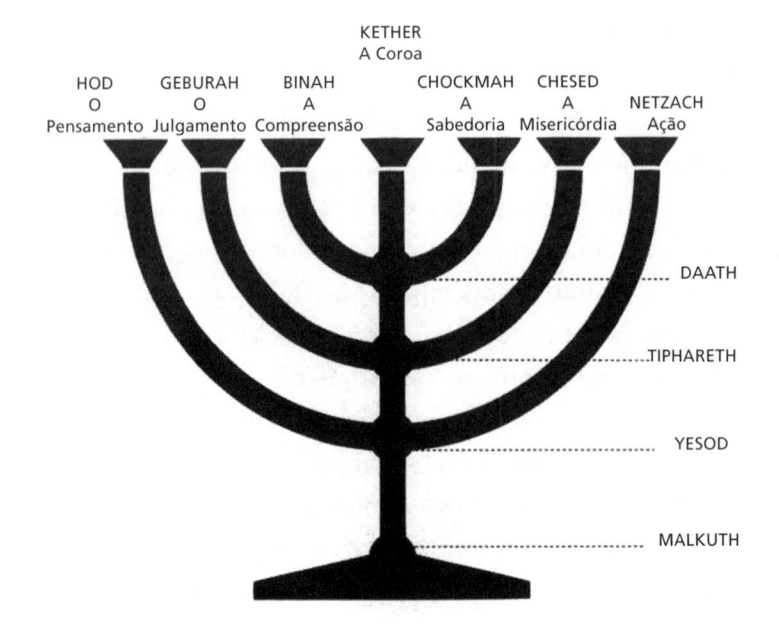

```
          KETHER
          A Coroa
HOD   GEBURAH  BINAH    CHOCKMAH   CHESED
 O       O       A          A         A        NETZACH
Pensamento Julgamento Compreensão Sabedoria Misericórdia  Ação

                                    DAATH
                                    TIPHARETH
                                    YESOD
                                    MALKUTH
```

Pilar da esquerda
- O princípio passivo, feminino
- Energia negativa
- Contração
- Recebimento

Pilar da direita
- O princípio ativo, masculino
- Energia positiva
- Expansão
- Doação

Pilar do meio
- Consciência

No mundo atual, algumas mulheres se sentem ofendidas com a ideia da feminilidade associada à energia negativa (escuridão em oposição à luz) e à passividade. No entanto, toda a humanidade se constitui do equilíbrio entre a energia masculina e feminina. Um ser humano definido geneticamente como mulher pode ser 51% feminino e 49% masculino, e outro, definido geneticamente como homem, pode ser 51% masculino e 49% feminino. Somos a mistura dos dois pilares, e é interessante notar como muitas mulheres modernas tendem a se doar demais (contrabalanceando a coluna da direita) desejando com isso receber dos outros também.

O pilar do meio é onde devemos nos encontrar quando estamos em equilíbrio total, e a Sephira do meio, Tiphareth, é onde *todos* nós estamos centrados e temos acesso a nossos atributos interiores e exteriores, acima, abaixo e em ambos os lados.

Consciência

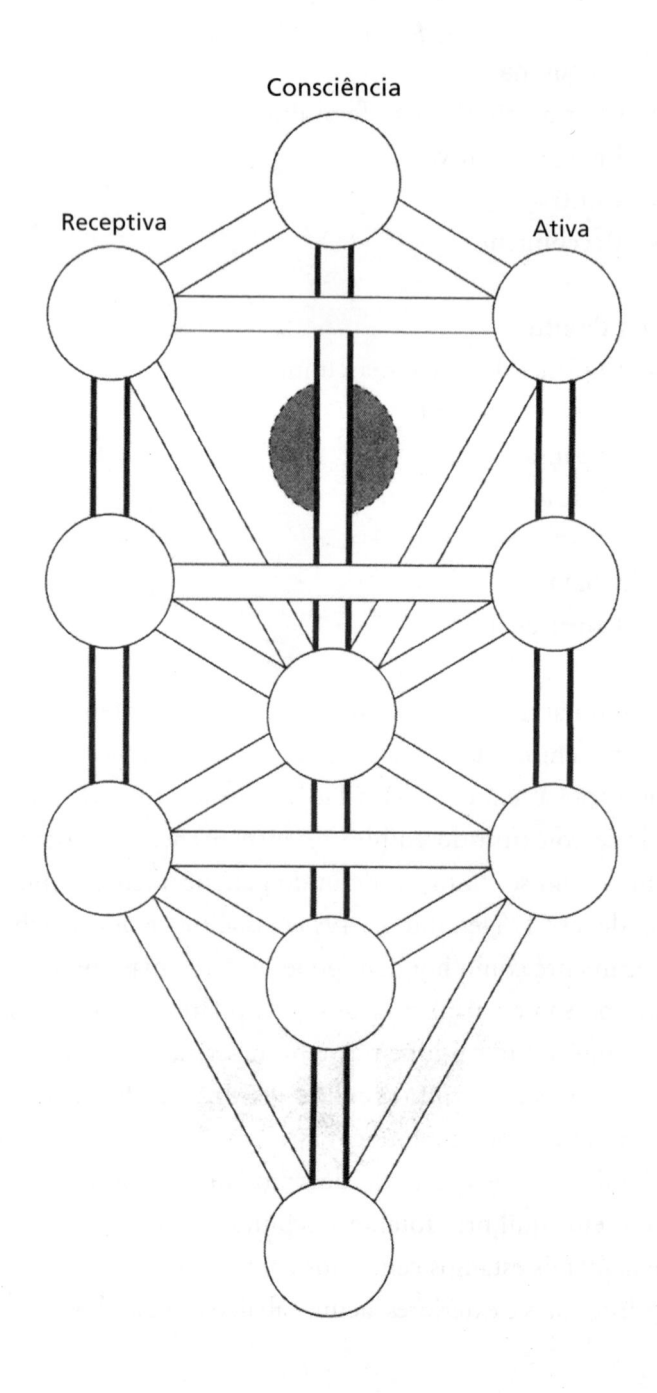

Receptiva   Ativa

Os pilares horizontais dividem a Árvore em quatro níveis, representando (de cima para baixo):

- Fogo, divindade, luz e a cor branca.
- Ar, espírito, pensamento e a cor azul.
- Água, alma, emoções e a cor roxa.
- Terra, corpo, sistemas automatizados e a cor vermelha.

A Cabala também possui um segundo diagrama, conhecido como *A Escada de Jacó*, que expande esse conceito de quatro níveis ou quatro mundos. A escada é composta por quatro Árvores que se relacionam e é usada para demonstrar os diferentes níveis dos princípios universal e humano. Por exemplo, a escada contém anjos em nível da alma e arcanjos em nível espiritual. O nome da escada se deve à visão de Jacó no livro de Gênesis da Bíblia. Ele viu uma escada ligando os céus e a Terra com anjos subindo e descendo por seus degraus. Para mais informações sobre a escada consulte a página 59.

Vale a pena mencionar que o Primeiro Templo dos israelitas era bem diferente do segundo, cujas ruínas ainda podem ser vistas em Jerusalém, Israel (O Muro das Lamentações). O Segundo Templo foi construído na época do sacerdote Esdras e a diferença entre os dois templos e entre o funcionamento dos mesmos era muito similar às mudanças observadas na Reforma Protestante Europeia. Esdras e seus sacerdotes consideravam o antigo templo um lugar de idolatria, e viam muita complexidade e corrupção em sua administração. Acredita-se que o Primeiro Templo possuía uma área chamada de Santo dos Santos, dedicada ao Deus Único, ladeado por dois pilares representando o aspecto masculino e feminino do Divino (Yahweh e

Asherah). Os quatro mundos, como vistos nas quatro Árvores da Vida que compõe a Escada de Jacó, eram representados por quatro arcanjos, atualmente conhecidos como Miguel (fogo), Rafael (ar), Gabriel (água) e Uriel (terra) embora tenham tido outros nomes no passado. As pessoas tinham liberdade de ir ao templo para profetizar, seguindo o exemplo do Oráculo de Delfos na Grécia. Tudo isso era proibido no Segundo Templo.

Muitos cristãos primitivos viram em Jesus uma força capaz de levá-los de volta às crenças e à era do Primeiro Templo. A volta de Cristo é retratada no Apocalipse como um retorno simbólico à época do Primeiro Templo, com a substituição da Prostituta (Segundo Templo) pela Rainha dos Céus (Primeiro Templo).

Os dois templos possuíam um véu, tecido com as quatro cores dos quatro mundos: vermelho, roxo, azul e branco, que separava o Santo dos Santos das outras áreas do santuário.

CAPÍTULO 7

DIFERENTES TIPOS DE CABALA

No mundo moderno, a Cabala é associada:
- Ao Judaísmo Ortodoxo, que se concentra profundamente no simbolismo espiritual e nas revelações contidas nas letras sagradas do alfabeto hebraico e limita o aprendizado cabalístico a homens casados acima de 40 anos que tenham estudado esta língua. Essa regra foi adotada após o surgimento do "falso messias" Shabbetai Zvi, que manchou a reputação da Cabala no século XVII.
- Ao Kabbalah Center, que ensina uma versão Nova Era da tradição cabalística às vezes controversa e possui sua própria marca, incluindo água cabalística, fios vermelhos e outros acessórios. Também é conhecida como "a Cabala dos famosos" devido à sua popularidade entre celebridades como Madonna, Demi Moore e Rosanne Barr. Embora siga ostensivamente o sistema luriânico, o Kabbalah Center também ensina o preceito de respon-

sabilidade individual e prega que nossas vidas são guiadas por nossos próprios pensamentos e emoções.
- À Cabala Cristã, que surgiu quando a invenção da imprensa disponibilizou documentos cabalísticos a todos os interessados. Ela se difundiu no fim da Renascença, divulgada por estudiosos cristãos, que perceberam que os aspectos místicos do Judaísmo e do Neoplatonismo eram compatíveis com o pensamento cristão. No século XVIII essa linha se misturou ao ocultismo, o que a tornou pouco popular entre os cristãos.
- À Cabala Alquímica. A alquimia existe desde a era pré-bíblica e esteve sempre intimamente relacionada ao Hermetismo ("assim em cima como embaixo"). Alquimistas são conhecidos pela busca à Pedra Filosofal e ao segredo da transformação de metais comuns em ouro. Cabalistas alquimistas consideram ambos como metáforas, simbolizando a transformação dos elementos básicos da psique no ouro da clareza espiritual.
- À Cabala da Aurora Dourada ou à Ordem Hermética da Aurora Dourada (Golden Dawn), uma mistura complexa de iniciação, rituais mágicos, rosacrucianismo, egiptologia, metafísica, astrologia e tarô, fundada no século XIX por S. L. "MacGregor" Mathers e William Wynn Westcott. Ficou conhecida com os ensinamentos de Dion Fortune e Israel Regardie e se tornou infame com as assustadoras diabruras de Aleister Crowley.
- À Cabala Toledana, que volta às origens dos ensinamentos pré-luriânicos e que, apesar de sua antiguidade, é o sistema que mais se aproxima do entendimento moderno do Karma e da Lei da Atração. Essa escola, lide-

rada por Z'ev ben Shimon Halevi, é composta em sua maioria por judeus, mas também é seguida por adeptos de outras crenças.

Também devemos mencionar, já que envolvem aspectos da Cabala:

- ◆ O Tarô, que possui um Arcano Maior de 22 cartas e traça um paralelo com os 22 caminhos da Árvore da Vida e quatro naipes que correspondem aos quatro mundos no segundo diagrama cabalístico, *A Escada de Jacó*.
- ◆ A Maçonaria, que contém muitos princípios cabalísticos e simbolismos relacionados à construção dos templos do Antigo Testamento. O templo e a capacidade do sumo sacerdote de pronunciar o nome de Deus corretamente no interior do Santo dos Santos era parte vital no serviço litúrgico durante as festas bíblicas na Antiguidade. As atividades do sumo sacerdote no interior do Santuário estão em destaque no grau do Arco Real.
- ◆ A Magia, que usa muitos símbolos semelhantes aos da Cabala. Ela passou a ter vários significados no mundo moderno, mas na Cabala ela é definida como o uso da vontade individual para afetar o funcionamento do universo, em vez da busca da submissão à vontade de Deus. Um exemplo seria lançar um feitiço para fazer certa pessoa se apaixonar – o que é uma violação do livre--arbítrio do outro e trará repercussões kármicas negativas ao seu autor.

A palavra Cabala pode ser escrita de diversas maneiras, como Qabalah, Qabbala ou Kabbalah. Não existe uma tradução "correta" para o nosso idioma da forma apresentada na língua hebraica: הלבק – Qof-Beit-Lamed ou KBL. Nos tempos bíblicos, o hebraico não usava vogais em sua forma escrita. Isso tornava a linguagem muito mais flexível do que atualmente, com muitas interpretações, nuances e tons além dos que nossas traduções do Antigo Testamento apresentam.

Grafias diferentes se apresentam hoje dependendo da origem de quem ensinou a Cabala: judeu, cristão, alquimista ou mago.

Geralmente escreve-se da seguinte forma:

- Kabbalah: misticismo judaico
- Cabala: misticismo cristão
- Qabalah (ou outras grafias começando com a letra Q): relacionados ao Hermetismo, à Magia, à Alquimia, ao Ocultismo e ao Paganismo.

Existe também uma forma de se escrever com *Qua*, mas para o nosso idioma isso seria estranho e incorreto. *Qua* é pronunciado como *cua* e não como *ca,* que é o som original hebraico. Entretanto, o uso de *Qua* faz sentido em outros idiomas.

Como muitas outras tradições místicas, a Cabala tem sofrido frequentes abusos, e por ser oculta, foi considerada secreta ou maligna por aqueles que não a compreendem. O termo em inglês "kabbal" que vem da mesma raiz hebraica é usado comumente para se referir a grupos secretos.

CAPÍTULO 8

A CABALA E A BÍBLIA

A tradição nos conta que a Cabala (então chamada de o Conhecimento) foi ensinada primeiro a Adão e Eva quando deixaram o Jardim do Éden. Seu conteúdo estava descrito no que ficou conhecido como o *Livro de Raziel*, embora provavelmente isso se refira a um ensinamento oral ou a uma inspiração revelada pelo Arcanjo Raziel, cujo nome significa "Segredos de Deus", já que nenhum dos nossos primeiros pais sabia ler ou escrever.

Acredita-se que era um guia para todo conhecimento celestial e terreno, e que ajudaria a humanidade a se aperfeiçoar e a retornar ao paraíso.

A Cabala surgiu provavelmente como uma maneira de explicar a origem da criação para pessoas sem conhecimento científico. Certamente se baseava na observação de padrões de movimentos planetários e nas características dos elementos primários fogo, ar, água e terra, e também por inspiração direta.

A teoria do *Big Bang*, que afirma que o Universo explodiu do nada, é um reflexo exato do ensinamento cabalístico de que Deus precisava criar um espaço vazio em Seu Ser Absoluto para iniciar o processo da criação. Esse recuo para criar espaço é conhecido como *tzim-tzum*. O ensinamento diz que a Luz foi derramada no espaço, ou no Ventre Cósmico, num padrão de expansão e contração, criando a matriz original da Árvore da Vida. Era necessário haver dualidade para que a Luz fosse contida, do contrário teria fluído eternamente se forma.

A razão por trás da criação é explicada como "o desejo de Deus de contemplar a Deus" ou em palavras mais modernas, Deus desejando dar à luz um bebê; um reflexo de Si Próprio que poderia vivenciar a existência física, emocional e espiritual em vez de apenas conceitual. A Árvore da Vida representa a imagem do "bebê divino" conhecido como *Adam Kadmon*, o homem primordial. Cada ser humano é uma célula do corpo de *Adam Kadmon* e cada um de nós está numa jornada em busca da perfeição. Quando todos alcançarmos o que desejamos ser, o bebê divino nascerá e o propósito da criação estará concluído. O que acontecerá a seguir está além de nossa compreensão.

O *Adam Kadmon* tem sido chamado há muito tempo pelos místicos de "unigênito" filho de Deus. Os cristãos deram esse título a Jesus de Nazaré, que representava o ser humano perfeito na Terra. A diferença é que a Cabala ensina que todos podem (e eventualmente irão) alcançar o mesmo nível de consciência de Jesus, enquanto o cristianismo prega que Jesus é o único messias.

O primeiro ser humano a alcançar a perfeição, de acordo com o ensinamento místico, foi Enoque, que é citado brevemente no livro de Gênesis e que agora vive, metade humano, metade anjo, como *Metatron,* no mais alto dos céus.

Os ensinamentos cabalísticos se expandiram através dos ensinamentos do Antigo Testamento. Por exemplo, as histórias dos patriarcas e matriarcas, heróis e heroínas representam cada Sephira na Árvore da Vida. A Cabala era conhecida por grandes rabinos, incluindo os Rabinos judeus Hillel e Gamaliel, sendo o último o suposto mestre de São Paulo.

CAPÍTULO 9

A CABALA NA HISTÓRIA

Como a Cabala é uma tradição oral que vem sido mantida oculta aos olhos do público, é uma tarefa complexa traçar sua história, mas sabe-se que diversos cabalistas renomados ensinaram e desenvolveram esse sistema. Um dos mais conhecidos é Salomão Ibn Gabirol, um autor e místico que viveu no século XI.

A partir da Idade Média, muitos livros foram escritos sobre a Cabala; a maioria era de pequenos estudos sobre algum aspecto da Árvore da Vida. Ibn Gabirol escreveu poesia e prosa, incluindo o famoso *Kether-Malkuth* que descreve as Sephiroth e expressa a majestade de Deus e as lutas da humanidade para dominar seus instintos mais básicos. O poema tem 40 estrofes – 4 × 10, que é o número de Sephiroth nas quatro Árvores da Vida que compõem a *Escada de Jacó*, o diagrama cabalístico do Universo. A parte confessional do poema ainda é usada como oração no *Yom Kippur*, o Dia da Expiação dos judeus.

Outros livros influentes incluem o *Tomer Devorah*, (A Palmeira de Deborah) de Moisés Cordovero, escrito no século XVI e o *Sepher Yetzirah* (O Livro da Formação), que provavelmente foi escrito no século X, mas pode ter até 2000 anos. Sua autoria é incerta e o livro fala principalmente sobre a numerologia do alfabeto hebraico.

Na época medieval, os judeus que estudavam Gematria buscavam padrões numéricos na Torá (os primeiros cinco livros da Bíblia). Como há 22 caminhos na Árvore da Vida, cada número possui um significado específico relacionado aos atributos da combinação das Sephiroth da Árvore às quais o respectivo caminho estava ligado.

Provavelmente o livro mais famoso sobre a Cabala ainda em uso é o *Zohar*, que significa "Livro do Esplendor". Assim como com o *Sepher Yetzirah*, há uma grande discussão sobre a origem desse livro; alguns acreditam que foi escrito no século II da Era Comum e outros afirmam que data da Idade Média. Sua primeira publicação surgiu na Espanha, no século XIII feita por um escritor judeu chamado Moisés de Leon que dizia ter encontrado dezenas de textos antigos escritos por um Rabino do século II chamado Simão Bar Iochai em uma caverna em Israel. O livro se refere a incidentes históricos que aconteceram depois do século II, mas alguns dizem que são apenas previsões do estilo de Nostradamus.

O Zohar é uma interpretação mística do Talmud, que, por sua vez, é um comentário dos primeiros cinco livros bíblicos. Existe um ditado antigo sobre a nação Judaica "dois Judeus, três opiniões" que reúne o Talmud, o Zohar e outros textos judaicos. A essência do judaísmo, especialmente o judaísmo místico, é o debate constante. Tudo deve ser examinado, e interpretações novas e aperfeiçoadas são sempre possíveis.

Diz-se que a Cabala só pode ser realmente estudada por meio de debates e isso é verdade. Por ser uma estrutura na qual fundamentamos nossa vida, é constantemente reinterpretada e atualizada.

CAPÍTULO 10

COMO INTERPRETAR A ÁRVORE DA VIDA

A Cabala, como um todo, se fundamenta no diagrama da Árvore da Vida. Nós já vimos rapidamente seus três pilares, mas antes de começarmos a abordar o que ela significa, precisamos decidir como a interpretaremos.

A Árvore é a imagem do ser humano perfeito. Pode-se dizer que é a imagem de Cristo ou a imagem de Deus. A tradição cabalística diz que é a imagem de *Adam Kadmon*, nome dado ao ser primordial. Essa é a origem da frase "o homem foi feito à imagem e semelhança de Deus".

Várias tradições cabalísticas ensinam que você deve enxergar a Árvore como se esse ser humano perfeito estivesse de frente para você; a Cabala cristã ensina que devemos ver a Árvore da mesma maneira que se admira uma imagem de Jesus Cristo. Outros dizem que é como se olhássemos para um espelho – você está vendo nela seu reflexo aperfeiçoado.

Entretanto, a tradição mais antiga ensina que você na verdade olha para as *costas* do ser humano aperfeiçoado. Dessa forma, você pode dar um passo à frente e *para o interior* do diagrama. Você está penetrando em seu próprio ser divino.

Vista dessa forma, a Árvore explica a frase bíblica: "Ninguém pode ver a minha face e continuar vivo" (Êxodo 33,20). Como somos feitos de energia ligada diretamente à fonte, teríamos que nos desconectar e nos separar de Deus para vermos sua face. Existe uma frase similar no Budismo: "Se você encontrar Buda pelo caminho, mate-o", o que significa que você é Buda; Buda está em você, então qualquer representação externa significa separação.

A Árvore é composta pelas dez Sephiroth, interligadas por 22 caminhos. Cada Sephira, cada caminho e os triângulos que se interligam ou *tríades* representam algo sobre você.

CAPÍTULO 11

AS SEPHIROTH

Há dez Sephiroth, cada uma descrevendo um aspecto de nossa vida. Elas podem ser vistas como arquétipos ou características. Elas também representam os planetas do sistema solar e os deuses greco-romanos.

A Árvore demonstra o chamado de Relâmpago da Criação (ver figura p. 51) mostrando a energia divina descendo em diagonal do topo até a base. O zigue-zague é usado para mostrar os princípios de expansão e contração ou dualidade. O pilar da direita é o princípio ativo (como acender o fogo para aquecer uma chaleira) e o pilar da esquerda é o princípio passivo (como desligar o fogo da chaleira). O pilar do meio representa a consciência que nos faz decidir o quanto ativos ou passivos devemos ser em cada situação. O pilar da direita pode ser definido como "Sim!" e o da esquerda como "Não!". Ambos são necessários para o equilíbrio, que é alcançado no meio.

Kether (coroa) representa nosso Ser Supremo; nosso Eu Superior; a fonte da Árvore da Vida e o Todo.

Chockmah (inspiração, sabedoria) é o primeiro impulso; o primeiro lampejo de uma ideia que ainda não foi definida. *Eu adoraria liderar um* workshop! ***Binah*** (compreensão) é quando captamos esse impulso para esclarecê-lo e defini-lo. *Que tipo de* workshop? *Onde, quando, como?*

Essas três Sephiroth formam o que conhecemos como a *Tríade Superior,* que representa os três aspectos do Divino. Os cristãos podem chamá-la de Santíssima Trindade. Nos tempos do Primeiro Templo judaico, a Tríade representava o Deus Uno, Deus o impulso masculino e Deus o impulso feminino (conhecido como a Rainha do Céu). O Relâmpago então passa pela não Sephira escura chamada ***Daath*** até alcançar ***Chesed*** no pilar da direita.

Não há caminho ali, pois ele representa simultaneamente um salto de fé e um ato de vontade. Esse é o lugar da noite escura da alma e a ligação entre o céu e a psique. Lembre-se de quantas vezes você teve uma grande ideia durante a noite e na manhã seguinte a esqueceu ou pensou: "Ai... não, isso não vai dar certo!".

Daath significa sabedoria como intuição e é também a ligação entre seu eu humano (Tiphareth) e seu eu divino (Kether). Eu o considero uma passagem, pois é uma janela entre mundos e é o lugar onde qualquer coisa que não for forte o suficiente para viver (seja física, espiritual ou psicologicamente) se perde. Também é o nosso caminho para uma consciência superior.

Do outro lado de *Daath* está *Chesed* (benevolência ou misericórdia). Esse também é o local de entusiasmo sem limites

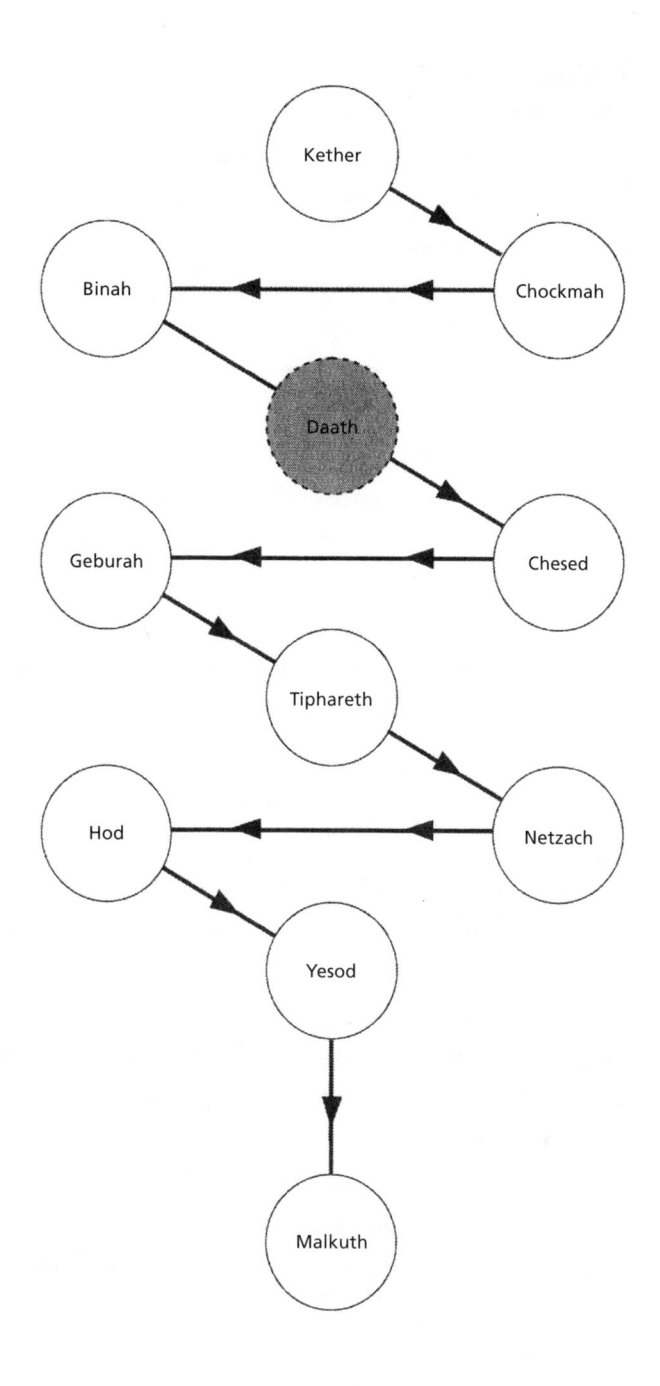

e, como todas as outras Sephiroth, precisa ser contrabalançada pela Sephira oposta para não causar desequilíbrio. Se sua ideia do *workshop* chega até aqui, poderia ser resumida por *Sim! Será maravilhoso! Vai ajudar a tanta gente! Vai ser sensacional!* (Chesed é definitivamente o local dos pontos de exclamação).

Desse ponto, o Relâmpago cruza até **Geburah** (disciplina, julgamento, discernimento) para aperfeiçoamento. *Você sabe o suficiente? As pessoas realmente querem isso? É viável? É realmente útil?*

Então vem **Tiphareth**: seu eu verdadeiro. É a ponte do navio da psique; o local onde você está consciente e é unicamente você; capaz de escolher entre unir-se ou separar-se do Divino. Tiphareth significa beleza e verdade. Em Tiphareth você está centrado, equilibrado e em sintonia com os mundos acima e abaixo de você. *Sim. Isso é o correto para mim. Eu sou o poder em meu mundo e eu escolho seguir adiante com esse* workshop.

O próximo passo é **Netzach** (o início da ação, atração, sexualidade), um lugar de impulso e instintos, de se fazer atraente e sair para conhecer pessoas, de agir antes de pensar e de às vezes ultrapassar os limites. *O* workshop *será assim e assado. Os folhetos já estão ficando prontos. Eles serão dessa cor e terão esse formato. Eu vou enviar mais e mais folhetos e entrar em contato com todos que conheço.*

Hod (pensamento, intelecto, reverberação) é o parceiro de Netzach – o processo de pensamento que equilibra a ação. Hod monitorará os processos da vida e, se em desequilíbrio com Netzach, pensará demais sobre tudo. *Está tudo planejado adequadamente? Em que ordem eu devo fazer as coisas? Os folhetos estão ficando bons? Quantos foram encomendados? Será que serão suficientes? Preciso reconsiderar alguma coisa?*

De volta ao pilar do meio da Árvore, agora chegamos a *Yesod* (fundamento), o lugar do ego; a *persona* – as máscaras que apresentamos ao mundo. Yesod é como o sistema de ativação reticular do cérebro que funciona com repetição. Uma nova experiência será trabalhada por Tiphareth, e, se a situação já tiver se repetido o suficiente para termos aprendido a lidar com ela, Yesod entra em ação. Todas as nossas reações e hábitos se concentram nesse ponto. Yesod é também a nossa criança interior. Se for o primeiro *workshop*, estará preocupada: *Tudo está indo muito bem? Já cuidei de tudo? Vai dar tudo certo? Fiz a coisa certa?* Se você já realizou muitos *workshops* de sucesso, estará confiante: *Sempre dá certo; as pessoas gostam do meu trabalho; eu posso fazer isso.*

Finalmente, estamos na base da Árvore com **Malkuth** (Reino): o lugar da manifestação. Malkuth representa o corpo, nossa realidade física ou o local do *workshop*. Tudo se torna realidade em Malkuth e, se algo não atinge Malkuth, é porque morreu antes de nascer.

CAPÍTULO 12

AS SEPHIROTH E A ASTROLOGIA

A Cabala é estreitamente associada à astrologia, principalmente porque os sábios do passado que estudavam as estrelas eram sempre astrólogos e astrônomos. Eles não escreviam colunas sobre horóscopos ou astrologia generalizada, um dos principais motivos para esse assunto ser tão depreciado hoje em dia. Também não faziam muitos estudos astrológicos com base na hora e data do nascimento, pois as pessoas não sabiam exatamente quando haviam nascido. Em vez disso, eles observavam os céus buscando sinais e presságios. "Haja luzeiros no firmamento dos céus, para fazerem separação entre o dia e a noite; e sejam eles para sinais, para estações, para dias e anos" diz Gênesis 1,14. Eles também praticavam a astrologia horária, que consistia na análise de mapas astrológicos para o horário em que certa pergunta fosse feita, como "Devo me casar com este homem?". Uma pergunta só poderia ser respondida em determinado horário e era muitas vezes feita em um momento em que a resposta não podia ser dada.

Cada uma das Sephiroth da Árvore da Vida representa um planeta, e as Tríades (triângulos) da Árvore correspondem aos signos do zodíaco (ver figura, p. 57).

As Sephiroth refletem as características e os arquétipos dos planetas e dos deuses greco-romanos. No entanto, na Antiguidade, quando ninguém conhecia os planetas Netuno, Urano ou Plutão, eles receberam diversos atributos, como os descritos a seguir. O debate sobre a classificação de Plutão como planeta não tem grande importância, visto que a órbita do Cinturão de Kuiper é elíptica e se move dentro e fora da órbita de Netuno, portanto é uma representação adequada de Daath como uma janela entre mundos.

Kether – Primeiras reviravoltas da criação/Netuno. Rege Peixes.
Chockmah – Todo o zodíaco/Urano. Rege Aquário.
Binah – Saturno. Rege Capricórnio.
Daath – Via Láctea/Plutão. Rege Escorpião.
Chesed – Júpiter. Rege Sagitário.
Geburah – Marte. Rege Áries.
Tiphareth – Sol. Rege Leão.
Netzach – Vênus. Rege Touro e Libra.
Hod – Mercúrio. Rege Gêmeos e Virgem.
Yesod – Lua. Rege Câncer.
Malkuth – Terra. Rege os Ascendentes.

Pode ser um exercício muito útil relacionar os dados de seu mapa astrológico com a estrutura da Árvore da Vida para entender de forma relativamente simples as forças, fraquezas e ênfases

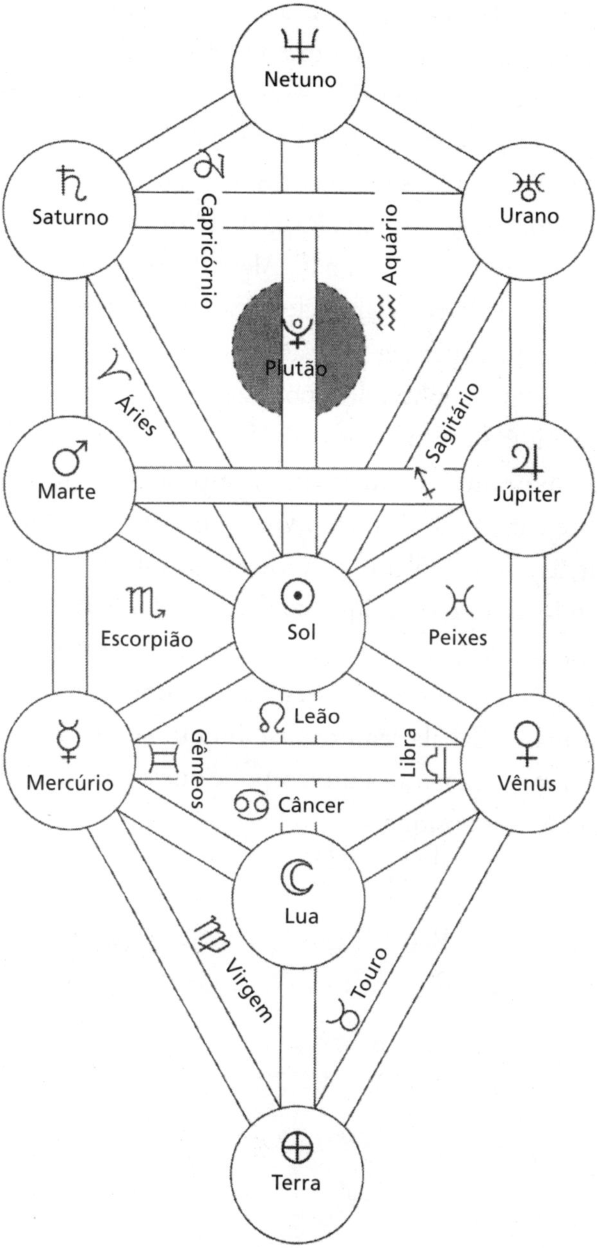
Netuno
Saturno
Urano
Capricórnio
Aquário
Plutão
Áries
Sagitário
Marte
Júpiter
Sol
Escorpião
Peixes
Leão
Mercúrio
Gêmeos
Libra
Vênus
Câncer
Lua
Virgem
Touro
Terra

de seu mapa. Por exemplo, Hod é regido pelo metal mercúrio do planeta Mercúrio, portanto está feliz quando seu Mercúrio natal está em Virgem ou Gêmeos e se sente razoavelmente confortável em signos relacionados à água como Peixes ou Câncer. Entretanto, em signos de fogo como Leão, Sagitário ou Áries, pode levar você a passar uma imagem de arrogância, falta de tato ou rispidez, queira você ou não. Além disso, Hod em Touro ou Capricórnio pode caracterizar lentidão para reagir ou para pensar. Não que essas características sejam necessariamente negativas, mas é útil conhecê-las, por exemplo, se você pensar em seguir alguma profissão que exija destreza na comunicação.

É importante entender que a astrologia é apenas nosso ponto de partida. Todos têm livre-arbítrio para tomar decisões conscientes com Tiphareth. A astrologia está associada apenas ao mundo aquoso da psique conhecido como Yetzirah. Esse é o mundo onde passamos a maior parte do nosso tempo, em nossos pensamentos e emoções. Acreditamos que somos seres físicos, mas a Cabala sempre ensinou que somos almas conectadas temporariamente a um corpo, e que a ligação entre o céu e a terra é nossa psique.

CAPÍTULO 13

A ESCADA DE JACÓ

O diagrama da Escada de Jacó (ver figura, p. 61) é um mapa cósmico que descreve como o Santo dos Santos projetou e criou o Universo. Ele demonstra as leis invisíveis da vida, como a dualidade e o karma, e explica os princípios por trás dos planetas, dos anjos, da humanidade, dos arquétipos e o do bem e do mal.

A Escada de Jacó é composta pela repetição da Árvore da Vida quatro vezes em níveis diferentes. A Árvore mais alta, *Atziluth*, é o mundo do Divino – o corpo do ser humano primordial, *Adam Kadmon*. Esse é o mundo retratado pelo elemento fogo e é a origem de todas as almas. Somos nascidos da tríade de almas que existe no interior de *Atziluth*, conhecida como *A Casa do Tesouro das Almas*. Nossa primeira jornada sai de *Atziluth* e desce até o segundo mundo. É no Mundo da Criação e do espírito conhecido como *Briah* que definimos nossa espécie, humanos ou não, e nosso sexo, masculino ou feminino. Então descemos até *Yetzirah,* o Mundo da Formação, no qual assumimos nossas características psicológicas para formarmos nossa individualidade. Por último – pelo menos nessa jornada – colocamos nossos "casacos de pele" e nascemos no corpo físico que habita esse planeta, o Mundo Terreno, conhecido como *Assiah.*

Em nossa segunda jornada subimos pela escada, fazendo o caminho de volta, por meio do autodesenvolvimento e crescimento espiritual. Não evoluiremos muito em nossas primeiras vidas, pois precisamos aprender a viver em um ambiente físico e a entender como a tribo/família/sociedade funciona e onde nos encaixamos nela. Assim que resolvemos essas questões, buscamos um patamar mais alto, para vivenciarmos a reunião de nossa alma e espírito com nosso ser completo. Isso é personificado pela Sephira Kether de Yetzirah, que também é Tiphareth de Briah e Malkuth de Atziluth.

A maioria a conhece como Chakra da Coroa ou o Ser Superior. Temos acesso direto a ele através de Daath de Yetzirah (que corresponde a Yesod de Briah) quando estamos centrados em Tiphareth de Yetzirah (nosso Chakra do Plexo Solar).

A terceira jornada se destina a ensinar aos outros, transmitindo o que aprendemos espiritualmente. Na maior parte das pessoas a segunda e terceira jornadas acontecem em paralelo, no sentido de que vivemos um pouco e entendemos o ocorrido e então passamos isso adiante. Entretanto, é extremamente importante que a ordem das jornadas seja respeitada, evitando que se ensine sobre o que foi ouvido ou lido, mas ainda não vivido. Se fizermos isso, podemos estar guiando outras pessoas por caminhos errados.

A quarta jornada é a de volta para casa, direto para Atziluth, como seres elevados. Muito se fala no século XXI sobre Ascensão

Divino

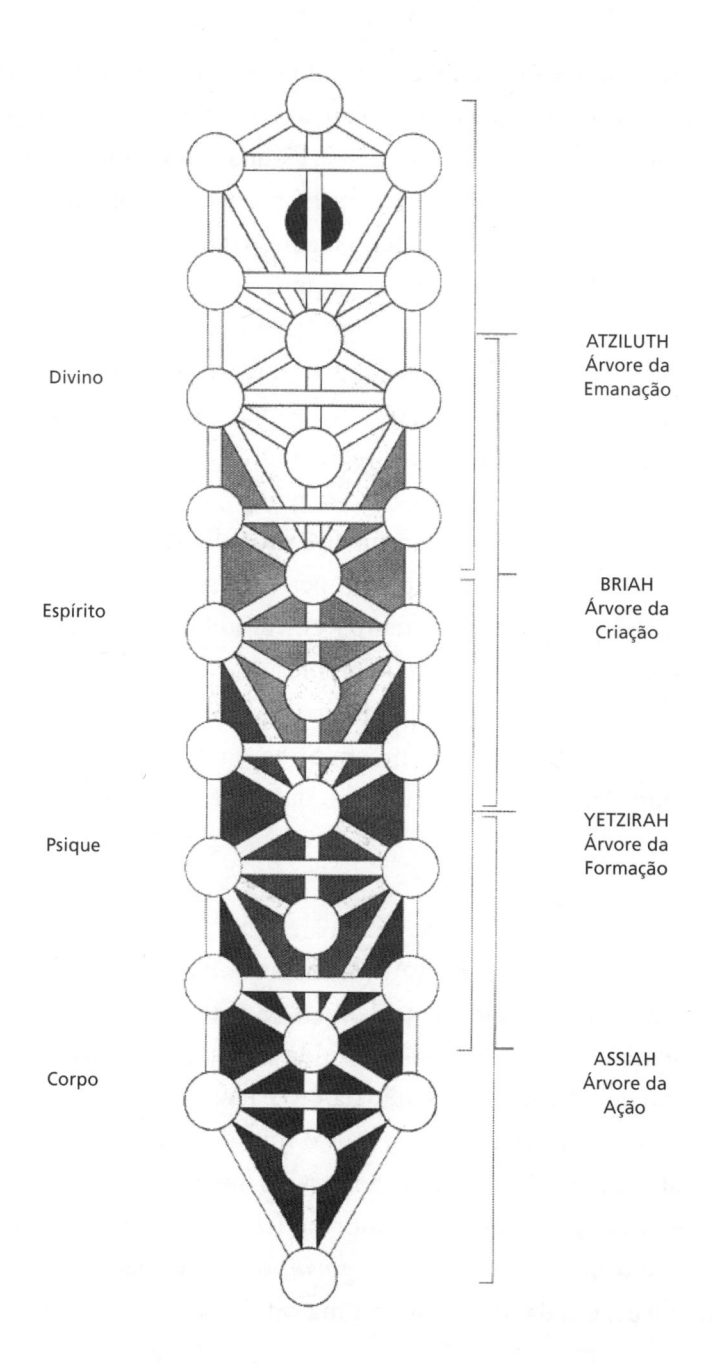

Espírito

Psique

Corpo

ATZILUTH
Árvore da
Emanação

BRIAH
Árvore da
Criação

YETZIRAH
Árvore da
Formação

ASSIAH
Árvore da
Ação

como sendo algo a se desejar a todo custo. Entretanto, os seres mais iluminados preferem voltar à Terra repetidas vezes para ajudar outras pessoas a subirem a Escada. Eles também sabem que aqueles que não reencarnam há muitos séculos não entenderiam o modo de vida na Terra atualmente. As leis do Universo certamente continuam as mesmas, mas o conhecimento da complexidade da psique humana moderna e a experiência de vida física também são importantes para entender o quadro completo e oferecer orientação para os seres humanos encarnados.

Os Cabalistas modernos acreditam que foram escolhidos quatro evangelhos no Novo Testamento para contar a história de Jesus por representarem os Quatro Mundos da Escada de Jacó – a história de um homem perfeito que estava encarnado fisicamente e ao mesmo tempo em unidade com tudo que é divino. Também é uma representação do Primeiro e Segundo Templos no antigo mundo judaico.

A Escada não é o Eterno em Si, mas a emanação do Verbo Divino ou, em algumas culturas, do Canto Divino.

Abaixo estão alguns atributos dos Quatro Mundos.

Atziluth
Atziluth é o mundo no topo da Escada de Jacó. É geralmente retratado na cor branca, ou algumas vezes dourada, e representa o elemento FOGO. É o mundo da emanação; o primeiro aspecto do Divino na existência. A palavra Atziluth significa "perto de" ou "estar perto", pois o mundo de Atziluth não é a totalidade de Deus, mas o reflexo de um ser muito maior do que possamos começar a compreender, quanto mais descrever. Esse é o mundo de *Adam Kadmon*, o aperfeiçoado unigênito de Deus, e cada um de nós é uma célula nesse ser divino. Não

existe tempo, dualidade, masculino ou feminino nesse mundo, é a pura luz fluindo na existência pelo alento divino e recebida pelos vasos que se enchem e transbordam, passando seu conteúdo adiante.

Na antiga Cabala, esse é o mundo em que tudo é perfeito. Na Cabala luriânica, é o mundo em que os vasos se estilhaçaram por um erro de cálculo divino. Esse é um conceito complexo num mundo em que tudo é uno e imutável.

É interessante perceber que a Escada de Jacó desapareceu do domínio público quando a Cabala luriânica se tornou o principal foco dos ensinamentos. Isso pode ter acontecido porque o novo conceito era impossível de ser explicado por meio da Escada, ou até mesmo pela complexidade dos projetos criados pelo próprio Luria para substituí-la. A Escada de Jacó só retornou à principal linha de ensinamento cabalístico nos anos 1970 – quando um mundo mais aberto começou a entender os conceitos de Lei da Atração e do Karma.

O Kabbalah Center explica a ideia dos vasos quebrados dizendo que aqueles (as Sephiroth) que receberam a luz não queriam apenas receber, mas também doar, e então rejeitaram a luz. Depois de alguma negociação, a luz fluía mais comedidamente; o ensinamento do Kabbalah Center é que ela deve ser compartilhada imediatamente com os outros. Essa é uma interpretação Yetzirática (psicológica) de como as pessoas que se sentem quebradas de alguma maneira (e a maioria se sente assim) acham que é mais fácil dar do que receber.

A melhor definição desse ensinamento original está no versículo 5 do Salmo 23, que diz "O meu cálice transborda". Se bebermos até a saciedade antes de doarmos aos outros, então seremos sempre um receptáculo cheio de vida, amor, abundância e generosidade. Se resolvermos doar no segundo em que recebemos, nosso copo estará sempre pela metade.

Briah

No próximo plano de existência temos o mundo de Briah, ou da Criação. Esse é o lugar em que a dualidade surge, as primeiras limitações são impostas, e é o elemento AR. A luz que flui vindo de Atziluth se torna um pouco menos refinada a cada passo que se distancia de sua fonte.

Os dois pilares laterais de Briah expressam a criação inicial e a destruição final, o que implica na existência de uma realidade limitada, ou na criação de uma existência limitada. Esse é o lugar em que surgem o dia e a noite, o macho e a fêmea, o para cima e o para baixo.

Outra definição da palavra Briah em hebraico é "fora de". Referindo-se a uma primeira etapa de separação da Luz Infinita. Isso não quer dizer que a luz seja menor, mas que ela está oculta de alguma forma. Não há local no multiverso que seja completamente desprovido da energia divina.

Briah é o mundo dos arcanjos, grandes seres cósmicos que cumprem a vontade do Sagrado. Temos a tendência de imaginar uma aparência para eles, mas em Briah não há imagem ou forma, então essas figuras são um bom exemplo de como a ideia de qualquer coisa que esteja em Briah se revela em nossa mente no nível inferior a ele, Yetzirah.

Briah é o puro conceito; ideia pura; pensamento puro. Não existe emoção.

Yetzirah

Yetzirah é o mundo da formação e do elemento ÁGUA. Quando em Atziluth há o conceito de existência e em Briah a criação de, por exemplo, *cão*, em Yetzirah há as diferentes raças e tipos de cão, como lobo, Spaniel, Retriever, Foxhound. E então, cada cão material nasce e vive no último mundo, Assiah. Os conceitos se transformam em imagens nesse nível. Esse é o mundo líquido das emoções, em oposição ao mundo aéreo dos pensamentos. Nós pensamos algo e então isso é envolvido pela maneira como nos *sentimos* em relação a tal coisa. Visto que todos os mundos estão interligados como os dedos de duas mãos entrelaçadas, esse conceito é essencial para o entendimento de como funciona a Lei da Atração. Se estivermos infelizes ou deprimidos, em Yetzirah atrairemos mais pensamentos que combinem com os sentimentos de Briah. Entretanto, se pudermos acessar Tiphareth, nosso ser consciente (conhecido também como "O Observador") e a parte de nós que liga esses três mundos inferiores, poderemos deliberadamente escolher pensamentos melhores e mais alegres de Briah. Isso nos fará penetrar novamente no interior de Yetzirah e nos trará bem-estar.

Yetzirah é o mundo dos anjos, da astrologia, do Feng Shui e de muitas outras ferramentas para o desenvolvimento. Por ser aquoso e flexível, temos que lembrar que essas essências não são o objetivo final do nosso autodesenvolvimento. Conhecer nosso mapa astrológico e o Feng Shui de nossa casa pode ser muito útil, pois são aspectos de nossa vida que nos afetam quando estamos agindo no automático. Ninguém está totalmente acordado o tempo todo, e tanto a nossa psique quanto o planeta operam em uma matriz-padrão e nem sempre com pensamentos e ações conscientes. Se você sabe que tem uma lua/ego que tende a analisar demais e a exagerar na autocrítica, então deve tomar cuidado com o reflexo disso para Yetzirah e escolher pensamentos (Briáticos) diferentes para melhorar a situação.

Nossas almas são o ponto central do mundo Yetzirático. Nossa alma individual é a essência do ser; o foco de nossa humanidade. Enquanto nosso eu é a única pessoa viva agora, nossa alma é a soma de todas as encarnações em que nosso eu se dissolverá na morte.

Assiah

Assiah é o elemento TERRA; o plano ou mundo final, que chamamos de realidade física. É finito não somente no espaço, mas também no tempo, significando que, diferentemente de Yetzirah e Briah, um objeto não pode estar em dois lugares ao mesmo tempo; quando algo deixa de ser, outra coisa passa a existir. Em Yetzirah, um animal de estimação amado não morreu, mas se transformou em sua alma eterna. Ele ainda existe em sua essência e pode ser lembrado e amado. Além disso, podemos criar novas histórias relacionadas a ele em nossa mente, e sua aparência pode voltar a ser jovem em Assiah. Muitos lutos são encarados de forma menos dolorosa quando se consegue visualizar a perda de algo ou alguém muito amado em uma lembrança Yetzirática mais feliz do que na situação que o mundo "real" denomina verdadeira.

O tempo é primordial em Assiah, e esse é o mais frágil de todos os mundos. A vida física pode ser destruída em um segundo, e, num mundo Ocidental cada vez mais secular, pode ser que a morte nos afete de maneira mais intensa por não nos lembrarmos da existência contínua de nossa alma.

Só porque uma criatura está extinta na Terra não significa que ela foi apagada dos mundos superiores. Bem longe disso: o pássaro Dodô e muitas outras espécies estão vivos e bem em Briah e Yetzirah. Eles podem até ter reencarnado em outros

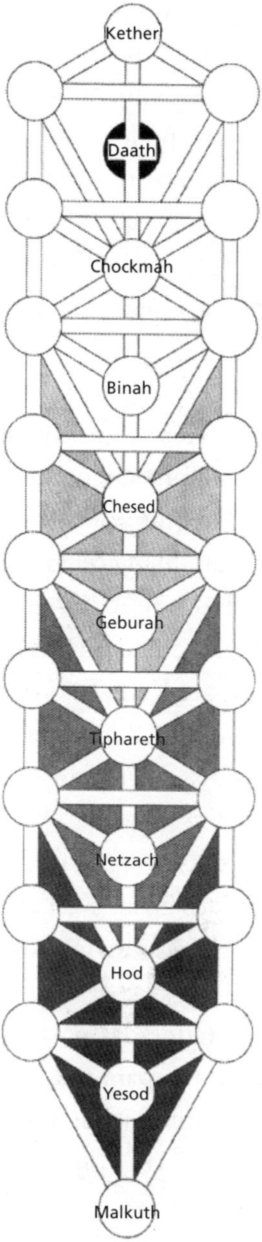

Kether
Daath
Chockmah
Binah
Chesed
Geburah
Tiphareth
Netzach
Hod
Yesod
Malkuth

mundos físicos. Assiah é o mundo mais afastado da Fonte, mas é também a manifestação de tudo o que é a Fonte. Sem a realidade física, Deus não pode se manifestar no mundo; sem cada ser humano, o Sagrado não pode sentir a alegria de ler, escrever, cozinhar, andar, trocar carícias ou até mesmo comer chocolate.

É importante que percebamos que somos criadores também; se não houvesse seres sencientes vivendo em Assiah e aproveitando suas belezas e recompensas, toda a criação não faria sentido.

A Quinta Árvore

Muitos acreditam no sistema Chinês que contém cinco em vez de quatro elementos, sendo metal o quinto. Isso se encaixa com o que é conhecido como a quinta Árvore na Escada de Jacó (ver figura, p. 67). Essa Árvore final é uma ligação direta entre Kether de Atziluth e Malkuth de Assiah e é formada por dez Sephiroth no pilar do meio, começando pela parte inferior, com Malkuth, e elevando-se até Kether no topo da Árvore.

Os Cabalistas cristãos acreditam que João Batista se referia a essa Árvore quando disse "Preparai o caminho do Senhor, endireitai as suas veredas". Mateus 3,3.

A oração do "Pai-Nosso" segue o formato da Quinta Árvore, começando em Kether dos Ketheres com "Pai-Nosso" e fluindo pela pilar do meio até "Livrai-nos do mal" em Malkuth dos Malkuths.

As frases adicionais (adotadas posteriormente) "Pois seu é o Reino, o Poder e a Glória, para todo o sempre" referem-se à Malkuth, o pilar do lado direito de toda a Escada (poder), o pilar do lado esquerdo (glória) e o pilar do meio (eternidade). O "Amém" final é o retorno pelo pilar do meio até o Kether dos Ketheres.

CAPÍTULO 14

ANJOS E ARCANJOS

Os anjos estão muito populares atualmente. Algumas pessoas até mesmo dizem: "Vou perguntar a meus anjos" em vez de "Vou perguntar a Deus" ou "Vou orar". Isso não é necessariamente uma novidade. A Cabala nos ensina que cada um dos dez aspectos da Árvore da Vida representa um arquétipo cósmico que foi personificado por um anjo. Em outras culturas, esses arquétipos foram chamados de deuses.

A Cabala ensina que os anjos possuem uma essência vibratória inferior aos arcanjos que, por sua vez, são parte da grande gama de seres cósmicos que servem ao Sagrado, levando nossas orações e mensagens e supervisionando o funcionamento diário do Universo. As nove hierarquias angelicais foram definidas por Pseudodionísio o Areopagita no século VI da Era Comum como Anjos, Arcanjos, Tronos, Potestades, Principados, Virtudes, Dominações, Querubins e Serafins.

Na época do Primeiro Templo, os quatro grandes arcanjos representados pelos quatro elementos básicos eram mais conhecidos pela sua descrição, como *Maravilhoso Conselheiro, Deus Forte, Pai da Eternidade e Príncipe da Paz* do que por seus nomes. Após o exílio babilônico, esses quatro atributos passaram a ser chamados de Uriel, Gabriel, Rafael e Miguel.

Atualmente, os arcanjos mestres estão em Briah, o mundo espiritual da Escada de Jacó, e seus anjos correspondentes estão em Yetzirah, o mundo da psique e da alma (ver figura, p. 71).

Nós, humanos, nos comunicamos mais frequentemente com os anjos do que com os arcanjos, pois o nível vibracional desses últimos é muito mais forte e vibrante do que poderíamos apreender e eles são, energeticamente, do tamanho de uma estrela.

O arcanjo mais popular é, com grande vantagem, Miguel, que está localizado em Malkuth de Atziluth, em Tiphareth de Briah e em Kether de Yetzirah. Portanto, Miguel está no mesmo campo energético do nosso Eu Superior (Yetzirah) do Capitão do Exército (Briah) e Cristo (Atziluth). Ele é também a mais suprema energia que podemos conceber e é frequentemente invocado para assuntos envolvendo Khamael (proteção) e Zadkiel (prosperidade), pois essas presenças estão fora de Yetzirah, o mundo da Forma, e tão poderosos que desafiam nossa consciência. Os pedidos são passados de Miguel para os arcanjos apropriados, e desses para o Sagrado.

Os anjos que correspondem às Sephiroth são:

Kether. Essa Sephira é principalmente associada ao *Metatron*, o único ser conhecido que é humano e anjo ao mesmo tempo. Ele foi Enoque, o primeiro homem a ascender, que se tornou uno com o Divino. Metatron é o ponto de acesso

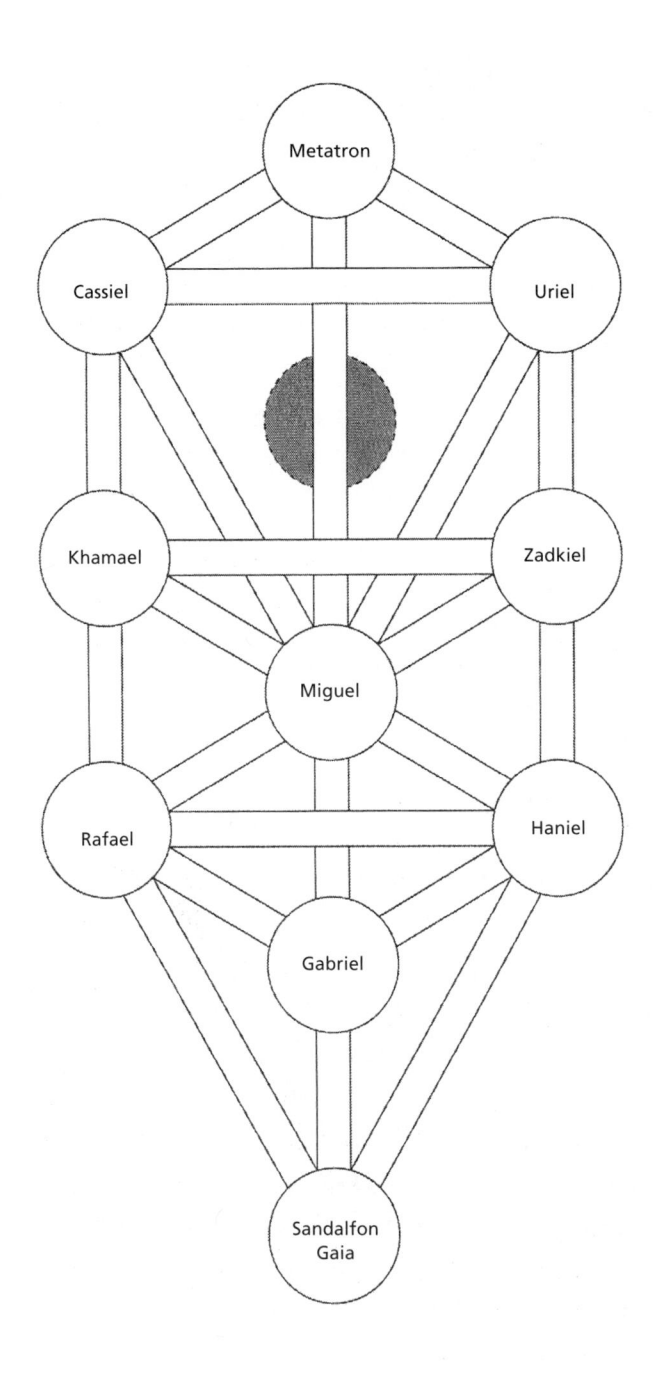

```
              Metatron

    Cassiel              Uriel


    Khamael             Zadkiel


              Miguel


    Rafael              Haniel


              Gabriel


              Sandalfon
                Gaia
```

entre Deus, o resto da criação e o Sumo Sacerdote. Alguns erroneamente se referem a Metatron como seu guardião ou guia, mas ele é o guia para *toda* humanidade e não para indivíduos. Essa Sephira é também associada a *Asariel*, que é regente de Netuno e corregente das quintas-feiras com Zadkiel (Chesed). Asariel retrata a intuição, a imaginação, o misticismo e o engano. Ele representa os deuses Netuno ou Posêidon. Muitas pessoas se enganam ao acreditar que estão sendo inspiradas ou contatadas, quando na verdade não estão em contato com nenhuma essência superior. Esse é um dos aspectos negativos da Sephira inferior Hod.

Chockmah. *Uriel*, Senhor de Urano, que guarda os portões do Éden com uma espada de fogo. Uriel domina os raios, a saúde mental e do sistema nervoso, a liberdade, a revolução, a independência, as ideias modernas e o divórcio. Ele é associado ao sábado, junto a Cassiel, e é o anjo do Norte. Urano era o antigo deus do céu e casado com Gaia, deusa da Terra.

Binah. *Cassiel*, Senhor do Karma e do planeta Saturno. Cassiel rege os ossos, a terceira idade, a solidão, a restrição, a disciplina e o rigor, mas também a aceitação, a sabedoria e a humildade. É corregente do sábado e é o patrono dos professores, arqueólogos e dentistas. Ele representa os deuses Cronos e Saturno, que também representam o tempo e a idade.

Daath. *Azrael*, Senhor de Plutão, é corregente da terça-feira com Khamael (Geburah). Ele é responsável pela transmissão da sabedoria e conhecimento profundos entre os mundos superiores e inferiores e é o vigia das perigosas influências de Plutão, como terrorismo e fanatismo. Os deuses Plutão, Hades, Osíris e Anúbis se relacionam a Azrael, que é conhecido por ser o anjo responsável pela décima praga, que matou os primogênitos egípcios.

Chesed: *Zadkiel* também conhecido como *Sachiel* rege Júpiter, é corregente da quinta-feira e defende a justiça, a generosidade, a prosperidade, as finanças e a ausência de dívidas. Ele é o patrono de todos os advogados, juízes, pescadores e marinheiros. Zadkiel também representa prazeres seculares, como os jogos e as corridas de cavalos. Ele se relaciona aos antigos deuses Zeus e Júpiter, o rei e pai dos outros deuses. Isso acontece porque na Árvore ampliada (a Quinta Árvore), Chesed fica no ponto mais alto de Yetzirah; o lugar de Cristo e do arcanjo Miguel.

Geburah: *Khamael,* também conhecido como *Samael,* é frequentemente temido por ser o anjo da pura destruição. Khamael rege Marte e é corregente da terça-feira. Marte era o deus da agricultura (pense em como arrancar ervas daninhas, arar e capinar são atos "destrutivos" que precisam acontecer para que os alimentos possam ser fertilizados e crescer) e passou a ser o deus da guerra quando inventamos as cercas e começamos a defendê-las. Ele também representa coragem, paixão e força de vontade. Ele é o patrono dos bombeiros, atletas, cirurgiões e militares. Khamael nos ajuda a encontrar a força e a coragem de que precisamos para enfrentar os obstáculos e os inimigos. O nome secundário Samael é frequente e erroneamente associado a Satã e seu trabalho considerado maligno. Por ocupar o local da destruição celestial, ele aniquilará qualquer coisa que necessite ser destruída – mas nada que não necessite disso. Ele é um protetor e professor poderoso e por vezes mostra-se surpreendentemente gentil. Se pedirmos a ele que nos defenda de um inimigo, ele provavelmente dará a ele uma nova tarefa maravilhosa que o afaste de nós. Khamael consegue enxergar que a responsabilidade é de ambos quando há inimizade entre os humanos.

Tiphareth: *Miguel,* o anjo do sul, rege o sol e o domingo, além de ser o patrono de todos os sacerdotes e trabalhadores espirituais. Ele defende o casamento e a aliança de ouro, assim como a ambição legítima. Também protege do orgulho, do egoísmo e do egocentrismo. Miguel representa os deuses do Sol – Hélios, Apolo, Rá – e representa todos os administradores e outros líderes. É provavelmente o mais conhecido dos arcanjos, o Capitão dos Exércitos, o líder da batalha final do bem contra o mal, o protetor da humanidade e o reflexo perfeito da luz divina. Seu nome significa "Aquele que é como Deus?" sendo o ponto de interrogação importante para nos dizer que *ninguém* é como o Sagrado.

Netzach: *Haniel,* Senhor de Vênus, rege a sexta-feira. Haniel é um dos dois arcanjos (o outro é Gabriel) que algumas vezes é retratado com características femininas. Haniel representa a graça, a beleza, a harmonia, a música, a atração, o amor e a afeição. Haniel é também o anjo dos devas e das fadas e, nesse nível, do sexo. Se usada de forma errada, sua energia cria um deus de glamour; se corretamente requerida, pode trazer amor, reconciliar amantes e fortalecer laços familiares. As deusas associadas a ele são Vênus e Afrodite.

Hod: *Rafael,* o anjo do leste, rege Mercúrio e a quarta-feira e é associado ao deus de mesmo nome, também conhecido como Hermes e Toth. Rafael é o principal arcanjo da cura, pois domina os pensamentos, a comunicação, as viagens e a velocidade. A maioria de nossas doenças é causada por pensamentos atribulados ou por sobrecarga, e Rafael nos ajuda a desacelerar e descansar. Ele é também o patrono da linguagem, da tradução, da escrita, da comunicação, da internet e da imprensa. Pode representar o aspecto mercurial do "malandro" onde podemos ser levados a crer em coisas que não são necessariamente verdade... Hod também é a Sephira da consciência psíquica em oposição à espiritual.

Yesod: *Gabriel,* o anjo do oeste, o único anjo a ser citado pelo nome no Alcorão, é mais conhecido por ter comunicado à virgem Maria que ela seria a mãe de Jesus. Gabriel é responsável pela Lua e pela segunda-feira. Enquanto Rafael representa a comunicação entre os humanos, Gabriel é o mensageiro de Deus à humanidade. Ele é patrono da casa, dos animais de estimação, dos lírios, dos sentimentos em geral e da intuição. Os equivalentes de Gabriel na mitologia incluem Ísis, Astarte, Ártemis e Diana. Ele é patrono dos médicos, dos enfermeiros, das parteiras, das babás e dos professores.

Malkuth. *Sandalfon* ou *Gaia.* Sandalfon é a interpretação física de Metatron e conhecido como o guardião de todas as orações enviadas ao Sagrado. É mais conhecido como Gaia, deusa da Terra que representa a antiga deusa Ceres.

CAPÍTULO 15

EXERCÍCIOS E RITUAIS

Muitos cabalistas se perdem na teoria, mas a Cabala é feita para ser vivenciada por meio da ação tanto quanto da contemplação. Aqui estão alguns exercícios e rituais simples que você pode usar para vivenciar a Árvore da Vida e o equilíbrio que ela produz em seu cotidiano.

Fazendo do seu Corpo a Árvore da Vida

Nesse exercício, use seu corpo para subir e descer pela Árvore, experimentando cada Sephira por meio de seus sentidos físicos.

Erguer-se ao longo da Árvore é uma maravilhosa prece para a abertura espiritual, e descer por ela é uma forma efetiva de acalmar a agitação após um *workshop* ou um dia muito movimentado.

Malkuth. Fique de pé com as pernas levemente afastadas e se abaixe para tocar a ponta dos pés ou curve-se o máximo que puder, significando fixar-se ao solo. Diga *Malkuth, o Reino, o Corpo.*

Yesod. Levante-se e coloque as mãos sobre a parte inferior de sua barriga, exatamente sobre o útero na mulher e acima dos órgãos sexuais no homem. Diga *Yesod, o Fundamento, o Ego.*

Hod. Incline-se levemente na direção do seu pé esquerdo. Essa é a primeira vez em que você está fora de equilíbrio e do pilar central. Perceba como isso o faz sentir. Diga *Hod, o Caminho, Reverberação.*

Netzach. Incline-se levemente na direção do seu pé direito. Perceba o que esse lado da Árvore o faz sentir. Diga *Netzach, a Vida, Ação.*

Tiphareth. Fique de pé com as duas mãos sobre o Plexo Solar. Busque equilíbrio e contemple o eterno Agora. Diga *Tiphareth, Beleza, Verdade.*

Geburah. Fique de pé com o braço esquerdo estendido lateralmente à altura do ombro, com a palma virada para baixo. Diga *Geburah. Disciplina, Discernimento, Julgamento.*

Chesed. Fique de pé com o braço direito estendido lateralmente na altura do ombro, com a palma virada para baixo. Diga *Chesed. Bondade. Misericórdia.*

Daath. Fique de pé. Olhe para o alto e vire a palma das mãos para cima para receber dos mundos superiores. Diga *Daath. Conhecimento. Gnose.*

Binah. Fique de pé e erga o braço esquerdo diagonalmente para a esquerda. Diga *Binah. Entendimento, Limites.*

Chockmah. Fique de pé e erga seu braço esquerdo em diagonal para o alto e para a direita. Diga *Chockmah. Inspiração, Sabedoria.*

Kether. Fique de pé, com as mãos em posição de prece acima de sua cabeça. Diga *Kether. A Coroa. Meu Eu Superior.* Então leve toda a energia do chakra da coroa até o coração com as mãos ainda na posição de prece. Diga *de Ti vem toda a graça.*

Se você quiser se desligar após um ritual ou *workshop*, ou até mesmo no final de um dia movimentado, faça esses movimentos em sentido inverso até terminar se abaixando até o chão.

Desenhando sua própria Árvore da Vida

Desenhar a Árvore da Vida à mão livre é um exercício poderoso para ver quão equilibrados estamos no momento.

Você precisa apenas copiar um diagrama da Árvore da Vida a lápis ou caneta. As Sephiroth que ficarem maiores ou menores e as linhas que você desenhar incorretamente ou esquecer são indicações de níveis de desconforto em sua psique e em seu corpo. Não valorize isso demais, pois esse desenho reflete como você está *no momento,* então, se estiver cansado, ou tiver acabado de receber uma conta inesperada, não desenhará uma Árvore perfeita. Entretanto, é certo dizer que se você cometer os mesmos erros repetidas vezes por várias semanas, significa que algo está errado e tentando chamar sua atenção.

Se alguma das Sephiroth for especialmente maior ou menor do que as outras, é uma indicação de que você é particularmente forte ou fraco nessa área. O mesmo ocorre com as Tríades (as áreas triangulares entre as Sephiroth). Círculos maiores do lado direito da sua Árvore significam que você se sobrecarrega. Uma Chesed maior quer dizer que você doa demais aos outros em vez de cuidar de si mesmo.

Uma Árvore com o topo espremido significa que você não está dedicando tempo suficiente para sua vida espiritual ou em busca de inspiração. Outra, com a base comprimida, indica que você não está dando atenção suficiente a seu corpo físico e a suas necessidades, sejam elas a de uma alimentação melhor ou de mais exercícios.

Se os círculos das Sephiroth não forem completamente fechados e se alguma das linhas invadirem o espaço das Sephiroth, você pode ter alguma fraqueza nos limites psicológicos nessa área. Por exemplo, se os caminhos vindos de Netzach e Chesed invadirem seu Tiphareth, você está hiperativo a ponto de não ouvir sua própria verdade interior.

Se algum dos caminhos se estreita ou se interrompe, as Sephiroth ligadas por ele podem estar com problemas de comunicação entre si. Por exemplo, se o caminho entre Hod e Geburah não estiver claramente traçado, você pode ter dificuldade em tomar decisões com base na informação adquirida, e pode ser todo teoria, mas não ter discernimento.

Se algum dos caminhos for muito largo, você pode estar se concentrando demais nessas duas Sephiroth. Por exemplo, se o caminho entre Netzach e Yesod for muito largo, você pode estar obcecado com sua própria sexualidade ou com sua imagem pública.

Se você se esquecer de desenhar algum dos caminhos, é uma indicação de que essa parte de sua psique não está sendo usada, ou de que está sendo pouco usada. Por exemplo, ao se esquecer da ligação entre Geburah e Chesed, você não está trabalhando no desenvolvimento de sua alma.

Se as Sephiroth do pilar do lado esquerdo forem maiores que as do direito, você pode ter tendência à crítica exagerada ou ser muito mais preocupado com informações em vez de ação, ou a julgar demais.

Se as Sephiroth do pilar do lado direito forem maiores que as do esquerdo, você pode ter tendência à hiperatividade ou agressividade, ou ainda a se doar demais e a agir antes de pensar.

Curiosamente, refazer o desenho da Árvore de forma precisa, utilizando réguas, compassos ou moedas, pode ajudar a restaurar o equilíbrio. Isso ajudará você a se concentrar em quem você quer ser; esse é um primeiro passo muito efetivo para todos os níveis de cura.

Criando um ambiente de cura cabalística ou espaço de trabalho

A maioria dos lugares sagrados tem um altar ou um ponto focal no leste ou, no caso do Islã, em direção à Meca. Entretanto, se não é viável usar o lado leste do ambiente, você pode criar um "leste espiritual" com o posicionamento cabalístico de sinais e símbolos.

Primeiro, limpe o espaço queimando um feixe de ervas odoríferas ou incenso, tocando um gongo ou sino tibetano ou acendendo uma vela branca. Você pode até fazer os quatro se quiser! Então posicione imagens dos quatro arcanjos do Primeiro Templo, que representam os quatro pontos cardeais e seus ventos. Coloque a imagem de Rafael para preparar seu "leste espiritual" onde você pretende que seja seu altar ou ponto de foco.

Rafael no leste.
Gabriel no oeste.
Uriel no norte.
Miguel no sul.

É provável que você não consiga organizar objetos representando todas as Sephiroth em seus devidos lugares em um ambiente de trabalho, mas você ainda obterá um efeito satisfatório ao colocar no oeste (para Malkuth) algo representando o mundo físico, como uma pedra ou cristal, uma planta ou a foto de uma montanha.

Na parede esquerda, em direção noroeste, coloque livros ou um computador, algo que represente o intelecto e o aprendizado. No lado oposto, nordeste, coloque algo que represente dança, sensualidade, ação ou prazer – talvez uma estátua ou uma foto.

Se puder, coloque uma mesa com flores ou uma vela no meio do quarto, representando Tiphareth. Na parede à esquerda, a imagem de um soldado, um samurai ou utensílios para jardinagem representam Geburah, e à direita, a imagem do amor genuíno ou abundante seria perfeito para Chesed.

No noroeste e nordeste você pode colocar retratos de pessoas sábias ou fontes de inspiração espiritual, e, no próprio altar, o que quer que represente o Sagrado para você.

Se possuir preces ou afirmações, coloque uma cópia no altar para ser abençoada, e sempre que iniciar um projeto, coloque ali algo que o represente para que seja santificado perante você e perante o Sagrado.

Entoando o Nome Sagrado

O Sagrado possui dez nomes (ver figura, p. 83); sendo os três mais importantes os que foram revelados a Moisés perante a sarça ardente. Eles são *Ehieh Asher Ehieh*, *Yahweh* e *Elohim* (Êxodo 3,14-15). Esses nomes são atribuídos à tríade superior de Kether, Chockmah e Binah.

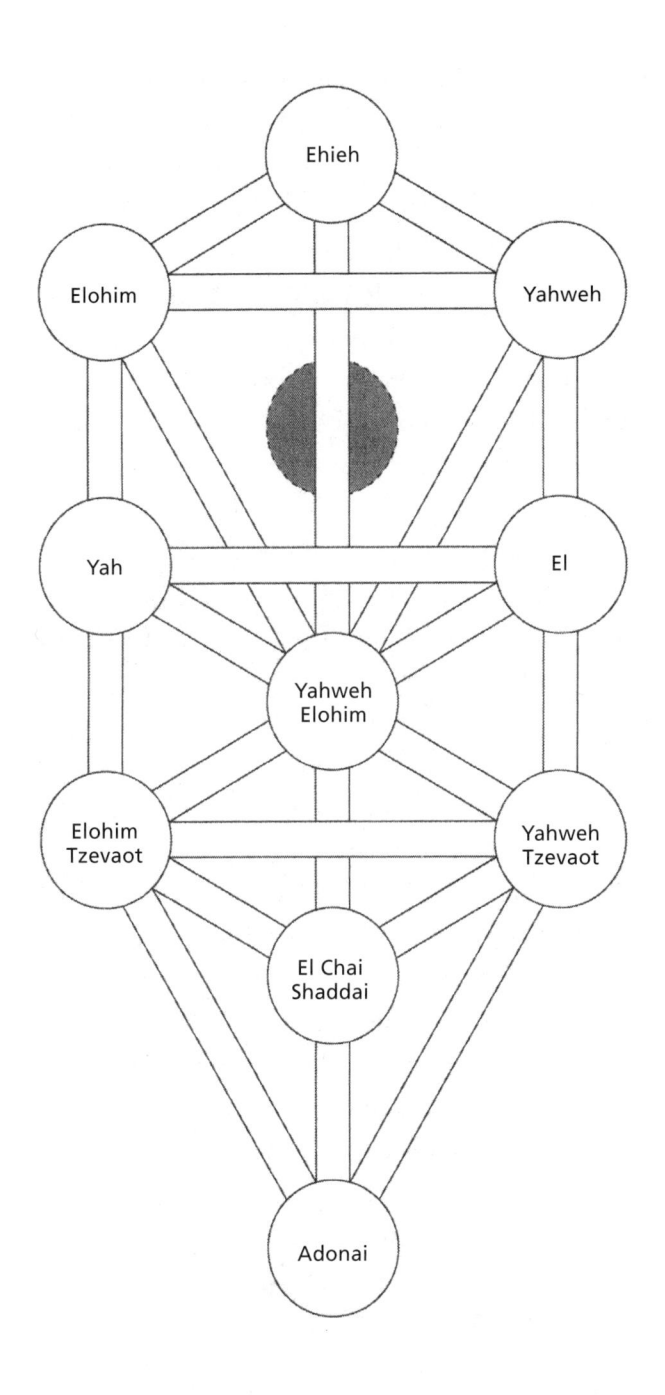

```
            Ehieh

Elohim              Yahweh


   Yah                El

         Yahweh
         Elohim

Elohim              Yahweh
Tzevaot             Tzevaot

          El Chai
          Shaddai


          Adonai
```

O nome Yahweh (Jehová) é normalmente conhecido como o grande nome de Deus. A tradução mais literal de Chockmah é "A Sabedoria de Deus", mas o significado mais aceito do nome é "Ele Traz à Existência a Tudo que Existe". Muitos acreditam que Jehová seja o nome feroz e duro de Deus, mas esse aspecto da divindade é *Yah*, que significa o julgamento de Deus e está localizado em Geburah de Atziluth (ver figura, p. 83).

Yahweh se escreve, em letras romanas, como YHVH. Não existem vogais no nome, pois o hebraico bíblico não as usava. Pronunciar as consoantes, Yod-Hey-Vav-Hey, já é uma experiência profunda.

Entoar as letras (você pode criar sua própria melodia) é invocar a sabedoria do divino.

Você pode entoar o nome divino em qualquer momento e em qualquer lugar, especialmente para ajudá-lo a recuperar o equilíbrio se estiver se sentindo perturbado. A maneira mais satisfatória de fazê-lo, no entanto, é sentar-se tranquilamente em um cômodo silencioso, depois de acender duas velas brancas para representar os pilares laterais da Árvore da Vida. O poder será maior se você fizer isso junto com algum amigo, o que pode ser feito em uníssono ou em revezamento; ambas as formas são repletas de beleza e graça.

Diz-se que as mais altas hierarquias de arcanjos entoam continuamente os dez nomes de Deus. Se você mergulhar profundamente em seu próprio interior e ouvir em uma frequência que está fora do nosso padrão normal de audição, poderá ser abençoado o suficiente para ouvir esse grande coro musical que se expressa em glória inacreditável e livre de formas.

Meditação contemplativa cabalística

É interessante gravar essa meditação para ouvi-la posteriormente.

Sente-se confortavelmente em uma cadeira e relaxe. Sinta o peso do seu corpo, o mundo físico de Assiah. Sinta os líquidos em seu interior; o mundo aquoso de Yetzirah, o sangue em suas veias; os líquidos linfáticos, a saliva em sua boca. Respire profundamente e vivencie o mundo Briático do ar – o oxigênio sendo filtrado por seus pulmões e carregado por todo o corpo para enchê-lo de vida.

Sinta o calor de seu corpo e o irradiar de Atziluth – as auras à sua volta, dançando com a luz.

Imagine que é verão. Veja-se em uma estrada de terra, do lado de fora de um pórtico que o leva a um pomar fechado. Atrás dele, há uma horta cercada e além dela, uma pérgula de trepadeiras.

Antes de entrar, vire-se e olhe para a estrada que o levou até ali. Como ela é? É uma estrada de terra ou uma avenida larga? É um lugar que você está feliz por estar deixando ou você se sentiu bem ao percorrê-la?

Levante o trinco do portão e entre no pomar. Que tipos de árvores há ali? Têm flores ou frutos? Estão em bom estado? Estão fracas ou saudáveis? Você vê hera ou visco? Qual é o cheiro do pomar? Você ouve algum som – canto de pássaros, vento nas folhas ou o som de uma maçã caindo?

Pare um minuto para perceber seus cinco sentidos enquanto está parado entre as árvores. Sua capacidade de ver; ouvir; tocar; provar, identificar aromas e cheiros. Perceba quão sutilmente importantes são para você e permaneça um momento no pomar para apreciá-los. Talvez haja algum fruto que você possa pegar, cheirar, escolher e comer? Agora caminhe em direção à horta. Ela é murada ou aberta? Está bem conservada ou cheia de ervas daninhas? Que tipos de vegetais estão crescendo – e em que estágio estão? Parecem saudáveis? Existe algo inesperado ali? Você vê uma enxada e um garfo de jardinagem apoiados a uma árvore próxima. Você sente vontade de usá-los? Ou prefere apenas caminhar e observar? Existe algo específico a ser feito ali? Perceba a delicadeza e fragilidade das flores e frutos à sua volta. Um movimento ou passo descuidado e você pode destruí-los. Veja também as lagartas e a libélula; as formigas e as joaninhas, todas vivendo suas vidas, se alimentando das folhas, os vegetais e os frutos.

Reflita sobre os frutos de sua própria vida e em quantos projetos e ideias foram sendo devorados antes de darem frutos; quantas boas ideias foram sufocadas pelas ervas daninhas; quanta beleza foi arruinada pela descrença em sua frutificação. A descrença foi sua ou de outras pessoas?

Agora caminhe até o fim da horta, em direção à grande pérgula coberta por trepadeiras. A seus pés há lírios-do-vale, lobélias e margaridas. Parece a entrada para um jardim secreto e você deseja passar por ela – mas onde está a porta?

À sua esquerda há um banco sob um arco; parece confortável, e você poderia sentar-se ali e descansar. À sua direita existe um vão entre o muro e a pérgula. Você passa por ele e se vê caminhando por um labirinto, ladeado por paredes altas. Você procura e procura uma porta para o jardim, mas não vê nem sinal dela. Você continua andando – e de repente se encontra de volta ao início do caminho. Ali está o banco, e você se senta, sentindo-se cansado e frustrado. O sol está quente e você pode ouvir o canto dos pássaros. A horta e o pomar são bonitos e luxuriantes. Talvez isso seja o suficiente por hoje. É realmente necessário ir além? De repente você percebe que o canto dos pássaros está vindo do interior do jardim, e não de fora dele. Você se sente revitalizado, e quer muito ir adiante. Você se levanta, fecha os olhos, enfia a mão por entre os ramos entrelaçados à sua frente e encontra a maçaneta de uma porta. Você a gira; ela se abre e você se esgueira entre as plantas, penetrando no jardim secreto.

Ele é cheio de cores – amarelo vivo, combinações de preto e branco, marrons e verdes suaves, tons escuros; por toda parte você vê canteiros em arranjos e combinações florais inteligentes e complexas. Os aromas são fugazes, fortes e até instigantes. A grama é repleta de trevos. É um jardim cheio de vida e movimento, com novas coisas para se perceber a cada instante. O ar está cheio de vida, com abelhas que passam rapidamente e vespas. É um lugar excitante, onde antes das pétalas de uma flor caírem outra desabrochará.

Você se sente estimulado e observador; brilhante e inteligente. Uma ideia surge – um pensamento esperto – você consegue captá-lo? E então, quando o farfalhar de um pássaro em um canteiro de esporinhas azuis o distrai, a ideia se perde. Você se sente confortável ou desconfortável nesse jardim mercurial?

Você continua caminhando, até o perfume forte de rosas escuras e quentes o guiar para um jardim de maravilhas exóticas em tons delicados de azul, rosa e creme – orquídeas cerosas, magníficas e elegantes estão por toda a parte. E há uma imagem de Afrodite – uma estátua sensual esculpida em pedra rosada, envolvida pelas flores que caem a seu redor. Dálias, cravos, esporinhas, ervilhas-de-cheiro, madressilvas e campânulas azuis – brilho, beleza e perfume em abundância.

Você se espreguiça, sentindo a sexualidade e força vital profunda e poderosa em seu interior, inspirando o perfume primaveril denso da realização. Seria fácil parar por aqui, deleitar-se e sonhar... ou não? Como esse jardim de Vênus se apresenta a você – tentador ou avassalador?

Você continua sua caminhada, se depara com degraus à sua frente e os sobe até que possa ver claramente o caminho à sua frente – e atrás de você. A luz está mais intensa e, ladeando os degraus, as flores são laranja-douradas – malmequeres, lanternas chinesas e girassóis vibrantes surgem pelo caminho. Esse é o jardim do Sol. No topo dos degraus há uma pequena casa de veraneio, e aqui o som dos pássaros chega a seu volume mais alto.

Alguém está na casa, esperando por você. É a pessoa que cuida desse jardim – seu mestre interior. Você pode ser capaz de vê-lo claramente ou de apenas sentir sua presença. Ele o convida para entrar na casa e se sentar em sua companhia por um instante, refletindo sobre o que viu e experimentou em sua jornada até então.

Ele faz uma pergunta a você. Como ela o faz se sentir? Você pode responder? Ele serve uma bebida – tem o gosto da luz do sol e o fortalece, como se estivesse envolvido em um roupão protetor feito de luz dourada.

Seu mestre então dá a você um cajado para ajudá-lo pelo resto do caminho e indica que é tempo de seguir a jornada. Vocês se verão em breve novamente.

Você se levanta – e descobre que suas roupas estão diferentes. O que está vestindo? Você continua até mesmo sendo do mesmo sexo que quando iniciou sua jornada? Está considerando profundamente essas mudanças enquanto continua a caminhar e leva um momento ou dois antes que perceba as mudanças ao seu redor.

O jardim se tornou muito mais esparso. Agora parece uma floresta de azevinhos e teixos. Verdes escuros e vermelhos brilhantes enchem o ar perceptivelmente mais fresco. A grama, as plantas e as árvores têm pontas agudas, e você precisa tomar cuidado ao passar por elas.

Você toma consciência das folhas mortas sendo esmagadas sob seus pés, cada uma apodrecendo e se dissolvendo para formar um solo novo e fértil.

Ainda assim, há uma limpidez no ar que é muito refrescante – quase como o aroma do mar, mas mais brilhante e agudo. Você perde a concentração por um momento e então dá um pulo quando uma trepadeira cheia de espinhos em forma de serra corta sua mão esquerda. Uma pequena gota de sangue se forma e cai no chão. Você observa impressionado, enquanto uma flor escarlate cresce e desabrocha no ponto exato onde caiu a gota.

Esse é um lugar profundamente poderoso. O lugar de Marte, o guerreiro; o lugar da vida ou morte. Você pode não se sentir confortável, mas por outro lado pode se sentir forte e poderoso – ou pode querer sair rapidamente desse local. Qualquer que seja sua reação, você se vê andando de forma diferente; mais alerta, avaliando cada passo e se mantendo atento.

À medida que você segue o caminho, as folhas escuras das árvores se tornam mais largas e suculentas. Você reconhece alguns louros, e então os primeiros pequenos brotos de rododendro. Mais alguns passos e eles florescem em grandes extensões roxas e rosas. Agora você está caminhando em uma grande mata de altas árvores em que os raios de sol quentes alcançam obliquamente o solo. Ao seu redor, hortênsias, rosas do deserto, lindos lilases e anêmonas. É um palácio de muita beleza, as grandes árvores se encontrando ao alto, além de sua cabeça, em sagrados arcos de cor. Esse é o amplo jardim de Júpiter, um lugar para se dançar de alegria.

Você passeia por ele, observa e ouve os sons de pássaros exóticos voando alto sobre a mata e então, após algum tempo, percebe que esse lugar parece nunca ter fim. Existe alguma saída? Será esse o fim? Se for, é certamente lindo, e de alguma maneira seria muito fácil desistir e ficar trancado nessa abundância tão magnífica que chega a ser preguiçosa, nunca seguindo adiante. Mas você sabe que existe algo além e começa a buscar ativamente.

Afinal, quando está começando a se sentir oprimido e até mesmo ameaçado pela majestade de tudo ao seu redor, você vê o lago. Ele é escuro, profundo, tranquilo e cercado de juncos. Ancorado nas proximidades está um pequeno barco, e você sabe que o único caminho a seguir é atravessar o lago.

Cuidadosamente, você entra nesse barco e parte. Para sua surpresa, ele começa a se mover sozinho e tudo o que você precisa fazer é se sentar nele. Ele desliza sobre a água, alcançando um grupo de nenúfares, todos em flor, com libélulas dardejando ao seu redor. Você vislumbra os peixes abaixo – carpas grandes, movendo-se lentamente no fundo, e girinos minúsculos, correndo aqui e ali.

Parece estar escurecendo; você ergue os olhos e vê grandes e ameaçadoras nuvens acinzentadas acima de sua cabeça. A luz de um raio ilumina o céu, ouve-se um trovão e então os céus se abrem, encharcando você. Pior, o pequeno barco começa a se encher de água. Como você se sente? Afinal, esse deveria ser um agradável passeio por um lindo jardim, e não uma perigosa expedição.

Uma nuvem pesada desce sobre o barco, a chuva cessou, mas agora você está cercado pelo nevoeiro. Está frio, você se sente muito mal e quer ir para casa.

Gradualmente a neblina se desfaz e você pode enxergar a luz do sol à sua frente. Melhor, o lago está ficando mais raso e você pode ver a margem.

É um pântano. Um grande espaço aberto com gramíneas resistentes, rochas nuas e samambaias. Você sai do barco e sente a luz do sol e um vento quente e forte secar suas roupas e fortalecer seus ossos. Não há muito para se ver por aqui, só o horizonte e alguns arbustos, mas trata-se de um terreno sólido e confiável, firme sob seus pés. Você caminha por algum tempo, pensando em sua jornada e desfrutando a sensação do ar livre. À sua frente há um círculo de pedras, cinza e sólido. Ao contrário da maioria das estruturas de pedra que você já viu, esse está intacto. É o local de Saturno; limites, idade e experiência. É sombrio e forte demais para você ou é reconfortante?

Você caminha no interior do círculo e vê o mundo se expandindo, erguendo-se à sua frente em um monte com um templo branco no topo.

Você corre para subir o monte e, ao se aproximar do templo, o chão se torna mais macio e você sente o perfume dos lírios. Excitação – uma emoção explosiva preenche você. Lá estão elas, agrupadas em torno das pedras, grandes e magníficas flores brancas sobressaindo a uma cama de mínimas pervincas, azuis como o céu.

Você passa por entre as pedras e segue um caminho de violetas até a porta do templo, que está cercada de clematis prateadas. Qualquer coisa pode se tornar realidade perto desse templo – Urano rege esse lugar. Até a paisagem brilha e cintila como se a realidade pudesse mudar a qualquer minuto. Você poderia mudar de ideia e em um segundo estar de volta onde começou essa jornada.

Você entra no templo. Seu interior brilha com uma luz azul-prateada, suave sobre a pedra branca. À sua frente há um altar, sobre ele um livro fechado e acima de tudo uma abóbada de ouro. Esse é um lugar de força, beleza e paz.

Você se coloca de pé em frente ao altar e olha para o livro. Ele tem o seu nome verdadeiro na capa. Cuidadosamente, você o abre e lê o que está escrito na página que escolheu. Podem ser palavras, uma foto ou apenas uma impressão. Seja o que for, rodopia e se move em fios de névoa e luz. Netuno, vago, mas profundo e forte.

De uma coisa você sabe: esse é o lugar em que as perguntas são respondidas. E você sabe o que quer realmente perguntar. Você fecha os olhos e formula a pergunta em sua mente.

Formas de luz cercam você, vozes celestiais sussurram canções de glória e esperança em seus ouvidos. Você é erguido, se vê flutuando para o alto, elevado por milhares de pensamentos angelicais. Subindo cada vez mais. Está fresco e claro e você abre os olhos para ver todo o Universo cheio de estrelas. Subindo, subindo, subindo, e então há apenas luz. Luz que deveria cegar, mas não o faz. Luz que é força, amor, entendimento e sabedoria. Você está diante do trono do divino.

Você ouve a Voz:

Aquiete-se e saiba que Eu sou Deus.
Faça sua pergunta.
Aquiete-se e saiba que Eu sou Deus.
Ouça a resposta.
Aquiete-se e saiba que Eu sou Deus.

A luz enfraquece, um toque angelical leva você para baixo, passando pelo grande céu cósmico, através dos universos, descendo cada vez mais até o pequeno templo escondido no coração da composição de pedras.

Você está sozinho em frente ao altar e, sobre o livro à sua frente há um presente. Algo que você sempre quis – representado por um símbolo que você pode levar com você. Pegue-o e coloque-o no seu coração.

Você ouve um som atrás de você e se vira. Seu mestre está parado ali, e você vai até ele. Juntos, vocês caminham para fora do templo e encontram um banco em meio às pedras onde podem conversar, estar e pensar.

Ele entende profundamente a sua alma. Ele pode oferecer todo o amor que você acredita não ter recebido. Ele é alguém que acredita em você como nunca ninguém acreditou antes.

Fale e escute. Fale e escute. Escute.

É hora de ir. A lembrança da grande jornada para casa é avassaladora, mas seu mestre ri. Existe um atalho, e ele mostrará o caminho.

Você segue seu mestre enquanto ele passa entre grandes pedras, e bem à sua frente você vê uma trilha. Ela se ergue no ar como uma ponte sobre a grande planície e, ao passar por ela, você se vê caminhando por cima do lago, tendo a grande floresta à sua esquerda e a mata escura à sua direita.

Antes de perceber, você já está de volta à casa de verão, cercado por flores douradas e borboletas, sentindo o calor e a força do sol que brilha sobre seus ombros, enchendo você de calor e vida. Seu mestre se despede e diz que você pode voltar quando quiser. Estará sempre esperando por você.

Você se dirige até outro caminho que o leva diretamente à grande pérgula de rosas brancas e rosadas, hera e corriolas misturadas e até o pórtico que leva à horta e ao pomar.

Você passa por ele e observa enquanto uma grande quantidade de ramos e flores atravessa a passagem, cobrindo-a e escondendo-a. Agora você observa a horta. Alguma coisa mudou?

Continue andando até o pomar: alguma coisa mudou por aqui também?

E então, há o postigo. O pequeno portão que o levará de volta à vida cotidiana. Você o abre, passa por ele e o fecha atrás de você.

É hora de voltar para seu corpo. Sinta o calor em seu interior e ao seu redor. Sinta o calor de seu corpo e a radiação de Atziluth – os campos áuricos de luz que o cercam.

Respire profundamente e vivencie o mundo Briático do ar – o oxigênio sendo filtrado por seus pulmões e carregado por todo o corpo para enchê-lo de vida.

Sinta os líquidos existentes dentro de você; o mundo aquoso de Yetzirah, o sangue em suas veias; os líquidos linfáticos, a saliva em sua boca.

Sinta o peso do seu corpo, o mundo físico de Assiah. Agora se estique e pressione os pés contra o chão para se reconectar ao mundo e, quando estiver pronto, volte para o mundo físico.

A celebração de um ritual simples

Essa celebração se fundamenta no ritual judaico celebrado nas noites de sexta-feira chamado de *A Recepção do Shabat* e representa o desenho de Shekinah, *A Filha da Voz*, uma representação de Malkuth de Atziluth e frequentemente chamada de a Presença de Deus ou de aspecto feminino do Divino. Esse é o aspecto de Deus que faz com que as almas nasçam no mundo físico e as recebe de volta na hora da morte.

É ideal fazer essa cerimônia à noite, ao crepúsculo, numa véspera de dia de descanso.

Tradicionalmente, uma mulher se responsabiliza pela parte da Shekinah e um homem realiza o resto da cerimônia, levando a essência divina que ela transmitiu de Atziluth para Briah e através Yetzirah até Assiah.

Em uma casa em que exista um relacionamento homossexual ou dois amigos morando juntos, um deve voluntariamente assumir o papel do sagrado feminino e outro do sagrado masculino. Entretanto, é perfeitamente aceitável fazer tudo sozinho se não houver companhia.

Você precisará de:

- ◆ Duas velas.
- ◆ Vinho ou suco de uva.
- ◆ Um copo de vidro para ser usado por todos ou copos suficientes para todos os presentes.
- ◆ Um pote de água, uma caneca e uma toalha limpa.
- ◆ Dois pães trançados cobertos por um pano limpo. Sal.

A primeira parte do serviço representa Atziluth.

A mulher/o feminino diz uma curta oração de bênção ou invocação. Essas são as palavras judaicas tradicionais:

"Senhor do Universo, estou prestes a realizar o serviço sagrado de acender as velas em honra ao Shabat. Como está escrito: 'E chamarás o Shabat de dia de deleite e dia santo para a honra do Senhor'.

Que o efeito do cumprimento desse mandamento por mim seja um fluxo de vida abundante e que bênçãos celestiais se derramem sobre a minha vida e sobre os meus. Que Tu tenhas misericórdia de nós e que Tua presença habite em nosso meio.

Pai de misericórdia, que Tua benevolência continue em minha vida e na dos meus entes queridos. Torne-me digno de caminhar no caminho dos justos diante de Ti; que eu seja fiel à tua Lei e apegado às boas obras. Mantenha longe de nós todo tipo de vergonha, dor e preocupação, e concede-nos a paz, luz e alegria de habitar em Tua casa para todo sempre. Porque em Ti está o manancial da vida; em Tua luz vemos a Luz. Amém."

A mulher/o feminino então acende as velas e faz um movimento circular com ambas as mãos, de fora para dentro, em direção ao rosto. No terceiro movimento, tendo trazido a luz através dos três mundos inferiores, ela coloca as mãos sobre o rosto para levar o Divino ao seu interior.

Ela então serve o vinho, ligando os mundos de Atziluth e Briah.

O homem/o masculino então diz a bênção apropriada. Aqui está uma versão curta da oração judaica:

"Bendito sejas Tu, Eterno, nosso Deus, Rei do Universo, que criaste o fruto da vinha.

Bendito sejas Tu, Eterno, nosso Deus, Rei do Universo, que nos santificaste com Teus mandamentos e nos quiseste, concedendo-nos com amor e agrado o Teu santo dia de Shabat, em recordação à obra da Criação, pois que é a primeira das datas santas, em memória da partida do Egito. Porque Tu nos escolheste e nos santificaste dentre todos os povos, e o Teu sagrado Shabat, com amor e agrado, nos deste de herança. Bendito sejas Tu, Eterno, que santificas o Shabat."

Todos os participantes sentem o aroma do vinho e então bebem, experienciando os mundos de Briah e Yetzirah.

Então, cada pessoa presente lava suas mãos. Tradicionalmente alguém derramará a água da caneca sobre a mão dos outros, deixando-a cair dentro de uma bacia. Isso representa o mundo aquoso de Yetzirah.

A bênção mais comumente usada é:

"Bendito sejas Tu, Eterno, nosso Deus, Rei do Universo, que nos Santificaste com os Teus mandamentos e nos ordenaste sobre o lavar das mãos. Yetzirah."

Finalmente, o pão é salgado, partido e o distribuído entre todos os presentes. A prece tradicional é:

"Bendito sejas Tu, Eterno, nosso Deus, que fazes sair o pão da terra."

Isso representa o mundo físico de Assiah, e os dois pães são sinais do fato de que o dia seguinte é um dia de descanso, para o qual o alimento já foi providenciado.

CONCLUSÃO

É difícil entender a riqueza da Cabala em apenas um livro, mas eu espero que essas páginas tenham mostrado a você se deseja ou não continuar a estudar ou a usar essa ferramenta específica para seu autodesenvolvimento ou crescimento espiritual.

As pessoas costumam perguntar "Para quê serve a Cabala?". A resposta é que o entendimento da Árvore da Vida o ajudará a apreciar os atributos conscientes e subconscientes de sua psique e a entender como eles se relacionam aos grandes arquétipos do Universo e ao próprio Sagrado.

O simples contemplar da diferença entre Yesod (ego e *persona*) e Tiphareth (o verdadeiro eu) ajudará você a perceber o quanto de sua vida é vivida no automático, de forma robotizada, e o quanto dela é vivida conscientemente. Acredita-se que 95% ou mais de nossos pensamentos são os mesmos que tivemos ontem – isso é repetitivo e, portanto, Yesódico. Tiphareth é o lugar do novo, em que temos novos pensamentos, ar-re-pender, re-lembrar, re-considerar. A palavra grega para "arrependimento" é *metanoia*, que significa uma nova forma de pensar.

Um bom exemplo de viver em Tiphareth é observar seus pensamentos e emoções com objetividade. Dizer "Esse sou eu pensando nisso" afastará você um pouco da emoção do pensamento em si e o ajudará a ver a você mesmo e a seus pensamentos sob um novo ponto de vista. Fazer isso por pelo menos cinco minutos por dia já pode ter um efeito profundo em sua qualidade de vida e de percepção.

Tanto o método popular de Sedona quanto o trabalho de Byron Katie possuem uma abordagem cabalística que nos encoraja a observar pensamentos e sentimentos antigos e a reinterpretá-los para vê-los sob uma nova luz.

Se você tiver se interessado pela Cabala e quiser saber mais, veja a lista de leituras recomendadas depois da bibliografia. Entretanto, o melhor a fazer é encontrar um grupo de estudos cabalísticos. Há muitos grupos *on-line* (vários associados ao Kabbalah Center, que podem não ser o que você busca). Você também pode começar seu próprio grupo, reunindo amigos e discutindo capítulos de determinado livro. Um velho ditado diz que quando o pupilo está pronto, o mestre aparece.

Desejo a você todo o sucesso do mundo.

BIBLIOGRAFIA

Halevi, Z'ev ben Shimon. *Way of Kabbalah*. Kabbalah Society.
———. *A Kabbalistic Universe*. Kabbalah Society.
———. *Adam and the Kabbalistic Trees*. Kabbalah Society.
Barker, Margaret. *The Hidden Tradition of the Kingdom of God*. SPCK.
Goddard, David. *Sacred Magic of the Angels*. Weiser.
Malachi, Tau. *Gnosis of the Cosmic Christ: A Gnostic Christian Kabbalah*. Llewellyn.
Whitehouse, Maggy. *The Illustrated History of Kabbalah*. Lorenz.

LEITURAS RECOMENDADAS

Selected Poems of Solomon Ibn Gabirol. Princeton University Press.

Parfitt, Will. *The Complete Guide to the Kabbalah: How to Apply the Ancient Mysteries of the Kabbalah to Your Everyday Life.* Rider & Co.

Halevi, Z'ev ben Shimon. *World of Kabbalah.* Kabbalah Society.

——————. *Kabbalah: School of the Soul.* Kabbalah Society.

Barker, Margaret. *Temple Themes in Christian Worship.* T & T Clark.

Unterman, Alan. *Kabbalistic Tradition: An Anthology of Jewish Mysticism.* Penguin Classics.

Goddard, David. *The Tree of Sapphires.* Weiser.

Whitehouse, Maggy. *Total Kabbalah.* Chronicle.

PRÓXIMOS LANÇAMENTOS

Editora
Pensamento
SÃO PAULO

Para receber informações sobre os lançamentos da
Editora Pensamento, basta cadastrar-se no site:
www.editorapensamento.com.br

Para enviar seus comentários sobre este livro,
visite o site
www.editorapensamento.com.br
ou mande um e-mail para
atendimento@editorapensamento.com.br